La reine, la City et les grenouilles

Josselin de Roquemaurel

La reine, la City et les grenouilles

Chroniques d'un Français de Londres

Albin Michel

À Octave et Rose,
immigrés de la seconde génération

« Ce que cette ville sera demain ? Elle va changer : basse, elle va s'élever, grâce à l'acier et au béton armé ; dans son besoin de respirer un air pur, elle va gagner de plus en plus la campagne (...). Bientôt ses faubourgs se trouveront à l'entrée du tunnel sous la Manche. Plus rapproché de Paris que ne le sont Lyon ou Bordeaux, Londres subira alors l'influence directe d'un continent dont il croyait s'être détaché définitivement, dès la Renaissance ; il la subira de toute façon, même sans tunnel, lorsque les omnibus aériens fondront de toutes parts, et heure par heure, sur sa ceinture d'aérodromes. »

Paul MORAND, *Londres* (1933)

Warning

Je suis un stéréotype vivant. Éduqué, élevé et diplômé en France, je l'ai quittée pour vendre mon âme à la finance et m'installer dans sa capitale incontestée, Londres. Je pensais n'y rester que deux ou trois ans, douze ans plus tard j'y suis encore, avec femme et enfants, installé dans l'un des quartiers résidentiels de l'ouest de la ville.

Ces nouvelles racines sont cependant encore bien superficielles. J'ai du mal à me considérer comme un vrai Londonien, encore moins comme un Britannique, fût-ce d'adoption. Si l'émigration en Angleterre n'est pas la plus douloureuse des expatriations, et si le Français de Londres demeure souvent blotti au sein de sa communauté d'origine, je n'en reste pas moins un étranger sur le sol anglais, et cette expérience d'altérité m'a conduit à m'interroger sur ma propre identité, et sur ma place dans cette patrie de résidence.

J'ai noté au fil du temps des impressions, des observations ou des interrogations restées sans réponse, qui constituent la trame de cet ouvrage. Si j'ose utiliser la première personne, c'est précisément parce que les expériences recueillies ici me sont personnelles et ne prétendent pas (toujours) à l'universalité.

Ce petit livre ne se veut surtout pas une étude sociologique ni même culturelle de la communauté française de Londres. Mes observations concernent surtout, comme par défaut, le sociotype du financier franco-londonien. J'ai modestement puisé mes exemples et mes anecdotes dans mon quotidien familial, social et professionnel, sans assumer la tâche ambitieuse d'écrire au nom de la vaste et diverse communauté française de la capitale britannique. C'était peut-être un pari risqué, compte tenu des mauvais procès faits de nos jours (et particulièrement en France) contre la finance et ses suppôts, mais je ne peux ni ne veux renier cette partie de mon identité, pas plus que mes années à Londres ne m'ont incité à renier ma nationalité.

Une précision importante : ce livre tente de traduire une vie londonienne, et non anglaise ou britannique. Le Français s'installe à Londres comme il s'installerait à Singapour ou à Dubaï, dans une cité-État, une île dans l'île, qui tourne le dos à son arrière-pays pour mieux regarder le monde en face. Il m'a fallu plusieurs années et quelques expéditions exploratrices pour comprendre qu'au-delà des murs il y avait un pays, l'Angleterre, et encore au-delà, une île, la Grande-Bretagne, dont j'ai pu mesurer l'étendue et la richesse. C'est bien à Londres que j'ai le sentiment d'habiter, non en Angleterre, et encore moins au Royaume-Uni, concept politique quelque peu abstrait et fragile.

Je ne peux pourtant toujours pas prétendre connaître intimement cette ville-pays, ce monstre de plus de huit millions d'habitants, étalage urbain informe, multipolaire, dont il est impossible de dessiner mentalement les contours, et d'apprivoiser tous les noms de lieux, des mots souvent sans substance, simples étapes sur mon plan du *Tube*. Dans mon petit atlas personnel, Londres est un espace circonscrit, parcellaire, un échantillon non représentatif d'une capitale sans doute trop complexe à représenter. Le lecteur m'excusera donc aussi d'avoir partagé une expérience plus souvent ancrée à Hyde Park qu'à Victoria Park, en amont du fleuve plus qu'en aval, la ligne d'horizon plus souvent tracée sur Hampstead Heath que sur Wimbledon.

Le royaume de l'exil

> « Français, Françaises, vous êtes tous les bienvenus à Londres ! »
>
> Boris Johnson, maire de Londres, 15 janvier 2014 (paroles exprimées en français)

Personne ne sait exactement combien de Français sont installés à Londres, pas même la toute-puissante administration, qui pourtant a perfectionné au cours des âges la science statistique pour mieux asseoir son contrôle des territoires et des populations. Il suffirait, me direz-vous, de se fier aux immatriculations consulaires (120 707 personnes inscrites en décembre 2013 au consulat de Londres), mais elles sont peu fiables, parce que tous les Français de Londres ne sont pas inscrits au consulat, et réciproquement tous les inscrits ne vivent pas à Londres, l'institution ayant compétence sur tout le Royaume-Uni, hors Écosse et île de Man.

Pour couronner le tout, ceux qui ont tenté de cerner la population vivant dans le Grand Londres ne sont pas d'accord entre eux. Loin de là. Environ 80 000 personnes selon les estimations basses, qui nous viennent des instituts de statistiques français et britanniques[1], tandis que le haut de la fourchette, qui nous vient notamment du ministère des Affaires étrangères et de ses différents services, suggérerait plutôt 200 000 personnes[2]. Quant au chiffre de 400 000 Franco-Londoniens, régulièrement cité dans la presse, il semble avoir si peu d'appui scientifique qu'il est probablement à écarter.

Quel que soit le chiffre exact, deux faits sont établis : cette communauté française est relativement significative, pour la France comme pour Londres, et sa démographie est saine et dynamique, enregistrant des taux de croissance spectaculaires. Malgré leur imprécision, les listes consulaires nous renseignent sur les flux à long terme exprimés en pourcentage de croissance, en supposant, comme il est communément admis, que les Français du Royaume-Uni vivent majoritairement dans la capitale. L'historique des immatriculations nous indique que le nombre de Français installés à Londres a pu s'accroître de plus de 40 % au cours des dix dernières années, et

1. INSEE, 2007 ; British Office for National Statistics, 2011.

2. Cette source estime à 300 000 le nombre de Français (inscrits et non-inscrits sur les registres consulaires) résidant au Royaume-Uni et précise que 63 % des inscrits au consulat de Londres vivent dans la capitale (http://www.diplomatie.gouv.fr).

a probablement été multiplié par trois depuis vingt ans. Une augmentation qui ne peut évidemment s'expliquer que par une immigration soutenue, elle-même déterminée, on le verra plus tard, par un enchevêtrement de facteurs.

En quittant la steppe aride et épineuse de la statistique et en se plaçant du côté du quotidien, on est immédiatement frappé par l'omniprésence française. Notre colonie est si peuplée qu'elle vit en quasi-autarcie sociale et jouit qui plus est d'une assise institutionnelle très étendue. Ambassade, consulat, hôpital (le Dispensaire français, à Hammersmith, créé en 1867), Institut français, vie associative, et vaste réseau scolaire de 5 000 élèves dans une dizaine d'établissements. Depuis les dernières législatives, la communauté dispose également de sa députée à l'Assemblée nationale, qui, si elle est censée représenter ses compatriotes résidant dans plusieurs pays d'Europe du Nord, réside à Londres et soigne surtout son électorat londonien.

La carte scolaire a beau suggérer une certaine dispersion de l'immigration française sur le territoire londonien, il n'en reste pas moins que le peuplement gaulois a obéi à une certaine logique de regroupement. Une agence immobilière[1] a cartographié les zones de concentration linguistique, faisant apparaître les quartiers de la ville où une langue autre que l'anglais est parlée à la maison par plus

---

1. http://mappinglondon.co.uk/2013/second-languages/

de 5 % des résidents. La carte dessine ainsi une grande concentration de Polonais dans le nord-ouest de la ville (Ealing, Wembley), d'Indiens du Bengale à l'est (Bethnal Green, Stratford) et du Gujarat au nord-ouest (Harrow), de Turcs au nord, et... de Français dans quatre aires bien distinctes, toutes situées dans des quartiers aisés de l'ouest : Brook Green, dans le *borough* de Kensington et Chelsea, autour de Paddington et Marylebone. Le poncif du Français se claquemurant à South Kensington a donc quelque fondement. Les Franco-Londoniens partagent bien des lieux communs.

Bref, si Londres ne peut sans doute pas prétendre au titre tapageur de « sixième ville française », comme l'avait affirmé la BBC il y a deux ans[1], elle abrite néanmoins une communauté en pleine expansion, structurée et organisée, une *Petite France* pas si petite que cela d'ailleurs.

Cette implantation française n'est pas un phénomène nouveau. La toponymie et l'architecture de Londres offrent encore des vestiges d'une présence passée, comme le rappelle par exemple *Petty France*, une artère de Westminster, où s'était installée à la fin du Moyen Âge une petite communauté de marchands lainiers français (*petty* est à comprendre au sens de « petit », pas au sens moderne de « mesquin »). Poursuivons ce petit détour historique. En simplifiant quelque peu, bien avant l'afflux massif des

1. Lucy Ash, « London, France's sixth biggest city », *BBC News*, 29 mai 2012.

Français d'aujourd'hui, l'Angleterre a connu trois grandes migrations françaises, dont un bref rappel nous permet de mettre la période actuelle en perspective.

La première est, bien entendu, la conquête normande. Elle est en réalité, à bien des égards, une conquête française, même si les Anglais, on le comprend, rechignent à écrire leur histoire nationale de cette manière. Les *Instructions aux soldats britanniques en France*, manuel pratique distribué en 1944 aux soldats de Sa Majesté qui partaient combattre en France après le Débarquement, et dans l'ensemble plutôt bien disposé à l'égard de nos compatriotes, se font un point d'honneur de ce sujet :

> « Ce fut une invasion normande, et non française, de l'Angleterre que Guillaume le Conquérant mena, et pendant les deux siècles suivants les rois d'Angleterre furent, en tant que ducs de Normandie, des vassaux belliqueux et fort indépendants des rois de France[1]. »

D'ascendance scandinave, et souverain d'un duché *de facto* indépendant du roi de France, Guillaume le Bâtard était cependant bien français, dans la mesure où le français était sa langue maternelle et de communication, produit d'une acculturation qui s'était effectuée

1. *Instructions to British servicemen in France 1944*, Oxford, The Bodleian Library, 2005.

très rapidement après l'installation des Normands dans la région de Rouen en 911.

L'histoire de ses succès est connue[1]. Guillaume envahit l'Angleterre en 1066 avec un groupe de fidèles chevaliers pour y défendre son droit au trône, à la suite de la mort d'Édouard le Confesseur et du couronnement d'Harold qu'il considère comme illégitime. Après avoir défait l'armée anglo-saxonne à Hastings et une fois couronné roi d'Angleterre à Westminster, il lui faut quelques années pour venir à bout (fort violemment d'ailleurs) des résistances locales, et mener à bien une restructuration en profondeur de la société anglo-saxonne. Guillaume et ses compagnons se substituent dans une très large mesure aux élites en place, expropriant l'aristocratie terrienne à leur profit, et destituant les grands prélats pour les remplacer par des Normands. La conquête est donc autant une entreprise économique qu'un conflit dynastique. C'est une mission de colonisation trans-Manche réussie, conduite par un chef, Guillaume Ier, qui, après ses premières victoires, passe en réalité la majeure partie de son temps dans sa Normandie natale à guerroyer contre ses voisins du continent.

Si les Normands ont brutalement déchiré le tissu social anglo-saxon, remplaçant la classe dominante et

1. On renverra le lecteur avide de plus de détails à David Carpenter, *The Struggle for Mastery, the Penguin History of Britain, 1066-1284*, New York, Penguin, 2003.

accélérant la mise en place du féodalisme, ils ont surtout initié une petite révolution culturelle en Angleterre, important avec eux le français comme nouvelle langue du pouvoir et de l'élite[1]. Certes, le français perd son statut de langue du gouvernement à partir de la fin du XIVe siècle, mais une archéologie, même superficielle, de l'anglais moderne, de ses noms communs comme de ses noms propres, révèle encore l'influence profonde que l'invasion normande a exercée sur la culture anglo-saxonne. L'anglais d'avant la conquête, surtout riche en vocabulaire concret ou sensoriel, est considérablement renouvelé par l'apport du français, fort d'un lexique abstrait et de notions qui n'étaient auparavant pas exprimées. Les linguistes nous apprennent ainsi qu'à chaque mot courant d'origine anglo-saxonne correspond souvent un synonyme d'origine française, moins usité, mais plus recherché, comme l'illustrent les couples *to die/to perish* ou *to fight/to combat*. Le stock de patronymes anglo-saxons est lui aussi enrichi par l'invasion culturelle franco-normande, comme en témoignent quelques célèbres noms de famille comme Percy ou Talbot, ou ces noms formés à partir du préfixe Fitz- (Fitz James, Fitzmaurice, etc.) qui signifient tout simplement « fils de ».

---

1. Une brève mais excellente synthèse sur ce sujet peut être trouvée dans le livre que Claude Hagège écrivit en défense de la langue française, *Non à la pensée unique*, Paris, Odile Jacob, 2012.

Notons, à titre anecdotique, mais non sans quelque fierté chauvine, que pendant longtemps les noms de famille d'origine française ont été associés à du sang bleu, ce qui les plaçait au sommet de la hiérarchie patronymique. Cette vanité du nom fut superbement moquée par Alec Guinness dans *Kind Hearts of Coronets (Noblesse oblige)*, une comédie britannique de 1949, qui met en scène les meurtres en série commis par le rejeton illégitime d'une grand famille aristocratique, les d'*Ascoyne*, pour hériter du titre de Duke of *Chalfont*. Le prestige de la consonance normande apparaît également en filigrane dans le célèbre récit de Thomas Hardy, *Tess of the d'Ubervilles*, qui narre l'histoire d'une jeune paysanne cherchant à se faire adopter par la grande (et fictive) maison des Uberville, dont elle pense être issue, sans savoir que le jeune *gentleman* à qui elle s'adresse, et qui profite de l'occasion pour abuser d'elle, a usurpé ce nom illustre.

Deuxième grande vague migratoire de France en Angleterre : l'exil des huguenots outre-Manche, qui débute pendant la Réforme (la première église française officielle de Londres est établie en 1550), et s'accélère dans les années qui suivent les dragonnades et la Révocation de l'édit de Nantes, en 1680-1690[1]. Sur les

1. On reportera notamment le lecteur au site de la *Huguenot Society of Great Britain and Ireland*, ainsi qu'à l'ouvrage de Bernard Cottret, *The Huguenots in England. Immigration and Settlement c. 1550-1700*, Cambridge, Cambridge University Press, 1991.

quelque 200 000 protestants français qui fuient leur patrie pour s'installer dans l'un des pays du Refuge, environ 50 000 auraient choisi la Grande-Bretagne, ce qui est loin d'être négligeable dans un pays qui, à la fin du XVIIe siècle, ne compte que 5 millions d'habitants. Londres devient la principale destination britannique de ces immigrés de la foi, qui s'y regroupent autour d'églises calvinistes (comme celle de Threadneedle, dans la City) ou anglicanes francophones (comme celle du Savoy, dans le West End). Certes, l'arrivée massive de ces exilés provoque quelques tensions dans leur patrie d'adoption, notamment dans l'Église d'Angleterre, qui ne voyait pas d'un très bon œil la prolifération de ces fidèles « non conformistes », mais aussi des incontournables guildes londoniennes, qui n'apprécient guère la concurrence soudaine des artisans et marchands huguenots. Néanmoins, dans l'ensemble, dans un contexte de rivalité croissante entre grandes puissances, et, après la *Glorious Revolution* de 1688, de franche hostilité britannique envers Louis XIV et Rome, les autorités et élites anglaise réservent un accueil plutôt favorable à ces réfugiés et coreligionnaires français, qui enrichissent le pays de leur patrimoine, de leur savoir-faire (beaucoup sont des maîtres tisserands réputés) et de leur activité, et par là appauvrissent, tel un vase communicant démographique, leur pays d'origine, le tant redouté royaume de France, fort de sa monarchie absolue et de ses 20 millions de sujets.

L'édit de Tolérance (1787), qui autorise à nouveau l'exercice de la religion réformée en France et exhorte les petits-fils de réfugiés à revenir s'installer dans leur royaume d'origine, intervient bien trop tard pour annuler les effets contre-productifs de la Révocation. Les huguenots d'Angleterre sont déjà bel et bien assimilés dans leur pays d'accueil, et le coût d'opportunité pour la France, bien que très difficile à mesurer, va continuer à se faire sentir. De brillants descendants de ces exilés vont en effet s'illustrer au XIXe siècle comme par exemple les Courtauld, industriels et mécènes, qui ont bâti un empire dans les textiles artificiels, ou les Cazenove, qui ont fondé l'une des plus grandes maisons de courtage de la City.

D'exil il est également question pendant la période révolutionnaire et napoléonienne, pour plusieurs milliers de Français qui fuient un pays qui ne veut plus d'eux. De toutes les terres d'accueil de l'émigration, l'Angleterre, nous dit Ghislain de Diesbach[1], est le pays qui reçoit ces réfugiés politiques et religieux avec la meilleure volonté et celui dont ils garderont le meilleur souvenir dans les nombreux mémoires publiés au cours du XIXe siècle.

De l'émigration vers la Grande-Bretagne, la petite histoire a surtout retenu la résidence londonienne de

1. Ghislain de Diesbach, *Histoire de l'émigration, 1789-1814*, Paris, Bernard Grasset, 1975.

quelques grands écrivains (Chateaubriand, Mme de Staël, Rivarol) et hommes d'État (Talleyrand, Calonne), qui apportent avec eux le bel esprit français d'Ancien Régime, ou la présence des grands prétendants frustrés par l'Usurpateur (les futurs Louis XVIII, Charles X et Louis-Philippe). Un regard moins superficiel sur cette petite communauté révèle une réalité un peu plus prosaïque. Si le West End et le quartier de Baker Street abritent la haute noblesse de cour et l'aristocratie des planteurs de Saint-Domingue, tant qu'ils peuvent encore avoir accès à leurs revenus, la masse des émigrés, petits et moyens nobles de province, prêtres réfractaires ou simples bourgeois, privés d'un patrimoine essentiellement terrien ou de leurs revenus ecclésiastiques, vit dans un grand dénuement, et se presse dans les quartiers, populaires à l'époque, de Soho, Tottenham Court, Somers Town (entre St. Pancras et Euston) ou Southwark, au sud de la Tamise. La réaction des autorités est remarquablement similaire à celle qui avait prévalu après la Révocation. L'Angleterre, qui est en état de guerre avec la France, fait une place à ces réfugiés et aide à leur installation. William Pitt, alors Premier ministre, fait voter par le Parlement le versement d'une indemnité de un shilling par jour à chaque émigré, juste de quoi survivre. Edmund Burke, le très antirévolutionnaire écrivain et membre du Parlement, organise de grandes souscriptions, y compris auprès de prélats anglicans, pour venir en aide aux prêtres insermentés qui affluent dans le pays. Compassion de classe, solidarité dans la Contre-Révolution ou simple charité chrétienne, les raisons qui motivent cette sollicitude sont sans doute variées et complexes, mais celle-ci témoigne de la culture d'hospitalité pragmatique qui distingue l'Angleterre à plusieurs reprises au cours de son histoire.

Cette immigration au sang bleu, très appauvrie lors de son arrivée, doit faire quelques ajustements à son mode de vie. Comme l'écrit joliment Diesbach :

> « Ces gens qui n'avaient jamais travaillé de leurs mains, et rarement de leurs cerveaux, se découvrirent des talents cachés, des dons innés et parfois singuliers pour exercer certains métiers[1]. »

Les dames de bonne famille cousent et brodent pour celles de la haute société britannique, les hommes dispensent des cours d'escrime et de français, un La Rochefoucauld a même été garçon de café ! La communauté, qui attend (ou œuvre en faveur d') un changement de fortune politique en France, prend son mal en patience et s'organise. De petites églises catholiques, tolérées par le gouvernement, sont aménagées, des écoles créées, comme celle que l'abbé de Broglie fonde pour de jeunes gentilshommes français et britanniques à South

1. *Ibid.*

Kensington, et nos émigrés peuvent même lire leur propre presse d'opinion, comme le *Courrier de Londres* de l'abbé de Calonne et du comte de Montlosier.

La politique d'encouragement au retour initiée par Napoléon, Premier Consul puis empereur, suivie de la Restauration, met fin à cette immigration de circonstance, et, autour de 1814-1815, la grande majorité de nos Français était revenue, si bien que l'impact social ou culturel de leur présence s'avère bien moindre qu'il ne l'a été après la conquête normande ou la Révocation. Il n'a cependant pas été complètement nul et non avenu. Quelques familles demeurent sur le sol anglais, et certaines d'entre elles sont promises à une brillante prospérité dans leur nouvelle patrie, tels les du Maurier, gentilshommes angevins devenus, au cours des décennies suivantes, acteurs, journalistes et écrivains[1], ou les Brunel, dont le premier a construit le premier tunnel sous la Tamise, en attendant que son fils fasse de même avec le chemin de fer entre Londres et Bristol[2]. L'émigration est également à l'origine d'un renouveau de la

1. Le représentant le plus célèbre en France de cette dynastie d'artistes et d'intellectuels est sans doute Daphné du Maurier (1907-1989), auteur à succès de *Rebecca* et de *L'Auberge de la Jamaïque*.

2. Il s'agit de Marc Isambard Brunel (1769-1849) et de son fils Isambard Kingdom Brunel (1806-1859). Ce dernier, qui avait fait ses études au lycée Henri-IV à Paris, fut élu, lors d'un sondage organisé par la BBC en 2002, parmi les « 100 Greatest Britons ».

religion catholique à Londres. L'abbé Jean Voyaux de Franous, qui émigre en 1793, fonde à Chelsea en 1812 une chapelle catholique au bénéfice des soldats du Royal Hospital et des casernes de Chelsea et Knightsbridge, l'une des premières créations du genre depuis la Réforme. À sa mort en 1840, son œuvre est poursuivie par une fondation catholique, qui construit une école et une nouvelle église, St. Mary's Cadogan, que l'on peut encore admirer et visiter, et qui anime aujourd'hui une paroisse importante et active attirant Espagnols, Italiens, Français, Philippins et autres Sud-Américains qui peuplent ce quartier privilégié de la capitale.

Le Français de Londres a donc tour à tour été envahisseur, exilé jaloux de sa liberté de conscience et réfugié politique. Il y a bien d'autres exemples historiques de cet « anglotropisme », comme l'installation de la France Libre pendant la Seconde Guerre mondiale, ou tous les cas de personnalités qui ont émigré pour échapper à la prison, faire oublier une disgrâce, ou s'exprimer en toute liberté. Saint-Evremond, Voltaire, Louis-Napoléon Bonaparte et Jules Vallès en sont des exemples emblématiques, mais ils ne sont pas les seuls. L'Angleterre, insulaire, d'ordinaire si méfiante vis-à-vis de l'étranger, a recueilli en son sein, et de manière indiscriminée, intellectuels et hommes politiques de tous bords, recevant les exclus de son décidément très remuant voisin, qui a connu une succession de violentes convulsions politiques à partir de l'époque moderne, de la Révocation à l'Occupation, en passant par la Révolution française, l'Empire, les révolutions de 1830 et 1848 et la Commune.

Mais revenons au présent.

Portrait du Français en immigré

> « Émigration : Le fait de quitter le pays natal, voire le pays de résidence antérieure, définitivement ou pour une longue durée (...). L'émigrant ne garde son statut que lorsqu'il se prépare à partir, et durant le trajet et les rites de passage ; il devient immigré dès lors qu'il est installé dans le nouveau pays (...). L'émigré attire en général la compassion ou l'intérêt, l'immigré suscite la crainte ou l'hostilité ; c'est pourtant le même, on est l'un et l'autre. »
>
> Roger Brunet, article « émigration », *Les Mots de la Géographie*

Qui est donc le Français de Londres aujourd'hui ? Un envahisseur ? Un conquérant ?

Certains Londoniens « de souche » pourraient en effet le prétendre, en observant avec amertume les étrangers les concurrencer pour l'emploi, le logement et les écoles, et créer de l'inflation généralisée dans la capitale. Cela étant, le Français n'est pas le seul responsable de cette expropriation d'un genre nouveau et les Anglais, de nature prudente, se gardent bien de trop qualifier notre présence d'envahissante, puisqu'ils nous ont rendu la politesse depuis bien longtemps. Plus de 150 000 ressortissants britanniques résident en France[1], selon un *gentleman's agreement* d'un genre particulier, un échange de bons procédés démographiques par lequel la Grande-Bretagne exporte ses retraités aisés et importe nos jeunes actifs, repeuple nos campagnes et fait travailler ses villes. La presse britannique décrit et analyse assez régulièrement le phénomène de l'immigration française chez elle, ironise assez gentiment, mais ne daigne pas trop s'en plaindre. Leur pays y gagne une force de travail motivée, qualifiée et peu consommatrice de ses services sociaux, que les Français évitent tant qu'ils peuvent se le permettre, accoutumés qu'ils sont aux infrastructures sociales de luxe que l'État français a bâties. Ne soyons pas naïfs. L'Angleterre n'est pas moins xénophobe que la France. Elle est hospitalière par pur pragmatisme économique, et entretient une méfiance vis-à-vis de l'étranger toute aussi aiguë que la nôtre. Il suffit de constater le traitement réservé aux Polonais, Roumains et Bulgares, qui sont depuis quelques années malmenés dans l'opinion publique anglaise, écornant la réputation par ailleurs méritée de la Grande-Bretagne comme pays

1. INSEE, 2010.

de tolérance. Nation riche, avec laquelle elle entretient des échanges de toutes natures depuis fort longtemps, la France est perçue comme une source d'immigration supportable, une variété de plante certes invasive, mais qui ne rompt pas encore l'équilibre de son écosystème national.

Alors, si les Français d'Angleterre ne sont pas des envahisseurs, doit-on les percevoir comme des exilés ?

Le facétieux Britannique fait parfois semblant de croire qu'une prétendue répression financière au sud de la Manche pousserait ou devrait pousser les Français à la traverser. Le maire de Londres, Boris Johnson, est coutumier de ce genre de propos, qu'il prononce souvent en français. Souvenez-vous, lors de son déplacement en Inde, au moment de la querelle qui opposait Arnaud Montebourg à Lakshmi Mittal :

> « En un jour où les sans-culottes semblent avoir conquis le gouvernement à Paris et un ministre français a poussé l'extravagance jusqu'à appeler au départ d'un investisseur indien de premier rang, je n'éprouve aucune hésitation et aucun embarras à dire à tout le monde là-bas : "Venez à Londres, mes amis ![1]" »

Les Anglais, qui raffolent des mots et expressions français, affectionnent tout particulièrement celui

1. Discours prononcé à New Delhi, novembre 2012.

d'*émigré*[1]. Ce terme est admis depuis longtemps dans les dictionnaires anglais, mais est un faux-ami, parce qu'il revêt le sens plus étroit d'exilé politique. Notons entre parenthèses que ce mot est plutôt péjoratif dans la France d'aujourd'hui. Associé à la Contre-Révolution, il évoque des individus privilégiés qui commettent un acte antipatriotique en s'expatriant. Le terme d'exilé, plus romantique, plus dramatique, est mieux connoté, mais ridiculement emphatique pour le sujet dont il est question ici. Dans notre pays où tout peut revêtir un sens politique, on dirait peut-être que l'émigré est à droite et l'exilé à gauche. Chateaubriand était un émigré, Voltaire et Jules Vallès, eux, des exilés.

La presse britannique rapporte parfois des cas de Français ayant décidé de franchir le tunnel pour fuir une recrudescence récente d'intolérance religieuse ou ethnique. Ainsi Londres serait depuis quelque temps l'une des destinations privilégiées de familles juives quittant la France pour se mettre à l'abri des violences antisémites, verbales ou physiques[2]. La ville, qui a été à la fin du XIXe et dans la première moitié du XXe siècle lieu d'accueil pour les juifs persécutés d'Europe centrale

1. Voir notamment le blog du député britannique Douglas Carswell, « Meet the new Huguenots : French capitalists coming here to escape Hollande », *Telegraph Blogs*, 8 février 2014.

2. Michael Freedland, « French Jews come to safe haven Britain », *The Times*, 11 mai 2013.

et orientale, accueille aujourd'hui de nouveaux contingents venus du sud de la Manche qui se pressent dans les synagogues du nord-ouest. L'une d'entre elles, à St. John's Wood, a même créé un service en langue française pour le shabbat afin de s'adapter à l'afflux de ces coreligionnaires[1].

De même, il n'est pas rare de lire ou d'entendre que le marché du travail à Londres érige moins de barrières pour les Français issus de l'immigration, dont certains viennent trouver ici plus d'opportunités, moins de préjugés, dans un environnement professionnel plus ouvert[2]. Si ces témoignages, aussi diffus soient-ils, tendent un miroir peu flatteur à la société française, ils ne surprennent pas dans une métropole qui vit et travaille grâce à l'immigration sous toutes ses formes, une cité où les minorités forment la majorité, où l'étranger, hier stigmatisé dans son premier pays d'adoption, peut se fondre dans le grand creuset anonyme du cosmopolitisme.

Ces faits relèvent plus à mon sens de l'épiphénomène que d'un facteur clé d'explication de l'immigration

---

1. Anna Sheinman, « Exodus to the UK as French Jews escape anti-Semitism », *The Jewish Chronicle*, 21 février 2013.

2. Cf. Bagehot, « Paris-on-Thames », *The Economist*, 11 février 2011 ; V. Malingre, « Dans la vallée des grenouilles », *Le Monde*, 25 octobre 2010, ou encore N. Ramdani, « France must follow the example shown by a more racially tolerant Britain », *The Observer*, 10 novembre 2013.

massive de nos compatriotes en Grande-Bretagne. Devrait-on évoquer également le cas, si médiatisé de nos jours, de l'exilé fiscal ? Avec Genève et Bruxelles, Londres est régulièrement citée dans la presse française comme l'une des terres d'asile préférées des Français aisés qui s'expatrient pour échapper à l'impôt. Vu du côté sud de la Manche, le régime fiscal des étrangers peut en effet paraître très favorable. Le droit britannique dissocie deux concepts bien commodes, celui de *résidence,* comparable au nôtre, et celui, plus subtil, de *domiciliation*, sorte de résidence naturelle et perpétuelle. Si un résident fiscal étranger peut démontrer qu'il n'est pas domicilié en Angleterre, c'est-à-dire que son pays d'adoption n'est pas sa patrie définitive, ni celle de sa progéniture, mais un simple lieu de passage auquel la raison, plus que le cœur, l'attache, le *non-domiciled resident*, ou *non-dom* comme il est communément surnommé, peut alors sortir de son assiette imposable les revenus qu'il perçoit à l'étranger et ne rapatrie pas en Angleterre, moyennant, après quelques années de ce régime, un forfait annuel fixe. En somme, l'administration britannique propose au riche résident étranger un pacte quelque peu paradoxal : en démontrant que son allégeance patriotique est ailleurs et qu'il n'a aucune intention de s'installer durablement en Grande-Bretagne, il pourra réduire sa facture fiscale. On comprendra que pour une catégorie de gens qui disposent de revenus élevés à l'étranger, si élevés qu'ils n'auraient besoin que d'en utiliser une partie négligeable pour pouvoir vivre convenablement dans leur nouveau lieu de résidence, la Grande-Bretagne (qui ne taxe par ailleurs pas le patrimoine) présente quelques avantages par rapport à la France.

Soit. Cependant, il est probable que les véritables réfugiés fiscaux ne représentent pas plus de quelques centaines de personnes, soit une infime minorité des Français de Londres. Beaucoup, notamment les rentiers retraités ou les anciens entrepreneurs, préféreront l'environnement familier de villes francophones plus faciles d'accès ou plus agréables à vivre comme Bruxelles ou Genève. On voit certes depuis un ou deux ans de jeunes banquiers ou traders se délocaliser à Londres sans changer de métier ou d'employeur, mais il serait très exagéré de parler d'exode massif. La Grande-Bretagne elle-même ne se considère pas comme un « havre fiscal » (*tax haven)*, terme que les Anglais utilisent plus volontiers que paradis fiscal et sans doute mal traduit par la presse française qui a peut-être confondu *haven* et *heaven*[1]. Si les charges sociales sont relativement faibles en

1. On remarquera que cette erreur, peut-être volontaire, de traduction reste néanmoins dans le registre métaphorique de la géographie marine. Les havres fiscaux sont en effet ceux qui permettent d'y garder des fonds off-shore, tandis que le paradis est dans l'imaginaire collectif souvent une île, peut-être pas aussi septentrionale et peuplée comme la Grande-Bretagne, mais plutôt tropicale comme celles des Caraïbes, véritable archipel de petits abris fiscaux.

Angleterre, les impôts sur le revenu et le capital sont, du moins pour ceux qui en sont redevables, plutôt élevés, et le Royaume-Uni a lui-même son propre sous-archipel de refuges fiscaux, des îles Anglo-Normandes aux îles Vierges britanniques. Tout est donc relatif en matière d'imposition. Pour le Français, surtout s'il est très fortuné, une chose est certaine : le paradis, c'est souvent chez les autres, là où la pression fiscale tendra souvent à être plus faible.

Qui est alors le Franco-Londonien contemporain, s'il n'est donc ni un envahisseur, ni un réfugié ?

Si l'on en croit les stéréotypes, il est surtout banquier, et vit à South Kensington, au cœur de la *froggy valley*. D'autres clichés le voient aussi restaurateur, garçon de café, ou parfois joueur professionnel dans les clubs de football de Chelsea et d'Arsenal. La réalité, elle, est plus complexe : il peut aussi être étudiant, jeune fille au pair, créatrice de mode, coiffeur styliste, professeur des écoles, avocat, chanteuse lyrique, médecin, journaliste, photographe, publicitaire ou jeune chômeur en quête d'emploi. La répartition géographique dispersée de cette population, que l'on peut dessiner en filigrane à travers le réseau de ses écoles, et les résultats des élections législative et présidentielle de 2012, où la gauche l'avait emporté, remettent en question l'image caricaturale d'une communauté monolithique de financiers privilégiés vivant dans une exclave des beaux quartiers parisiens.

Le Français de Londres est tout simplement un *immigré*, c'est-à-dire une personne souvent jeune, mais dans tous les cas active, qui est venue s'installer dans cette ville pour y chercher et trouver du travail. Le mot pourra paraître d'un goût douteux. La connotation du terme immigré est en général négative, et il est plus souvent employé pour décrire la situation d'un individu non seulement forcé de quitter son pays d'origine pour faire vivre sa famille, mais aussi marginalisé, socialement et culturellement, dans sa terre d'accueil.

Certes, mais cela étant dit, j'ai beau vivre confortablement à Londres et y gagner correctement ma vie, je n'en reste pas moins un étranger, qui partage avec bien d'autres une expérience commune. Bien que je puisse difficilement prétendre être discriminé, je me sens distinctement autre, évoluant dans un isoloir ethnoculturel étanche. Mon nom de famille, complètement imprononçable pour l'Anglais moyen, a été tellement écorché que je devrais sans doute songer à en altérer l'orthographe pour le rendre plus agréable à l'oreille britannique. Le temps précieux que j'ai passé à l'épeler ou le répéter devrait en toute logique me conduire à l'abréger ou le dégalliciser pour le rendre plus intelligible, dans un exercice compliqué de traduction patronymique. Quant à mon prénom, étant en général employé pour baptiser des filles, il ne m'aide vraiment pas à m'intégrer. Mon accent, autodiscriminant, trahit immédiatement mon origine étrangère. En vertu d'un principe d'endogamie commun à toutes les minorités, et alors que le cosmopolitisme de Londres mettait à ma disposition un vaste univers de possibles matrimoniaux, j'ai épousé une Française, consœur en immigration et compagne d'exil. J'aurais pu oser le métissage, embrasser le monde, mais j'ai préféré, sans regret, une jeune fille de mon village. Enfin, mon comportement social pourrait être qualifié de communautaire, voire communautariste, dans la mesure où je fréquente essentiellement des compatriotes et consens peu d'efforts pour sortir de mon ghetto culturel.

Voudrais-je dissimuler mes origines, me travestir en Anglais, ou, au minimum, me fondre dans un anonymat apatride et incolore, que je n'y parviendrais pas. La francité transpire apparemment de toute ma personne, elle est, comme le disent les Anglo-Saxons, *in your face*, transparente et brutale à la fois. Comme me l'a appris la serveuse d'une cafétéria avec qui je n'avais pourtant pas encore échangé la moitié d'une parole : « *Are you French ? I don't know why, but you look so French.* » Je ne sais toujours pas ce qui avait déclenché chez elle ce propos intempestif digne de Sherlock Holmes, mais il n'était visiblement ni un compliment ni une injure, juste une observation ethnologique en quête d'argumentation scientifique. Était-ce mon allure ? Ma coupe de cheveux ? Mon regard ? Ou les ingrédients que j'avais choisis pour composer ma salade à emporter, et la pastille que j'avais insérée dans la machine à café ?

Cette anecdote m'a enseigné une bonne leçon : Il faut au moins deux générations pour remodeler une gueule de métèque, une vie d'expatriation n'y suffirait point !

Ressortissant européen, et muni de papiers en règle, je n'en suis pas pour autant un citoyen pleinement assimilé, mais ce que les Anglais appelaient autrefois un *denizen,* une sorte de statut juridique intermédiaire entre l'étranger sans droits *(alien)* et le citoyen *(citizen).*

Tous les cas de figure de l'immigré du travail se retrouvent à Londres, du plus sédentaire au plus nomade. La proximité avec la France favorise également les migrations pendulaires, comme les utilisateurs réguliers de l'Eurostar peuvent en témoigner, qui observent le chassé-croisé régulier des banquiers de Londres et leur va-et-vient incessant avec Paris. On voit également des dentistes et des médecins, domiciliés à Paris mais venant officier quelques jours par semaine à Londres, où ils trouvent une large clientèle de patients rétifs à l'idée d'être soignés par la médecine anglaise.

Pourvus de leur passeport rassurant et de leurs ordonnances généreuses, ces médecins traitent rarement des cas de mal du pays. Le départ à Londres du futur nouvel immigré n'a rien de douloureux. Le tunnel qui passe sous la Manche l'a raccourcie, et l'Eurostar fonctionne comme un cordon ombilical qui relie le Français expatrié à sa mère patrie. Si chaque année une poignée d'individus courageux traverse la Manche à la nage, nos Français n'ont rien de comparable avec les *wetbacks* du

Rio Grande ! Ce *train people* ne connaît rien des vicissitudes de leurs homologues bien moins fortunés, les *boat people.* Leur émigration n'est pas une longue dérive à l'issue incertaine, mais un court voyage dans une contrée étrangement familière.

London Calling

> « Au cours de ce siècle, chaque décennie a eu sa ville (...). Durant les années quarante en état de choc, New York propulsée montrait la voie et dans les fragiles années cinquante ce fut la Rome grisante de la *Dolce Vita*. Aujourd'hui c'est au tour de Londres, une ville imprégnée de tradition, saisie par le changement, libérée par la prospérité, embellie par les jonquilles et les anémones, si verte de ses parcs et squares qu'on peut, comme le dit le dicton, la traverser sur l'herbe. En une décennie dominée par la jeunesse, Londres a soudainement éclos. Elle swingue, elle est là où les choses se passent. »
>
> Piri Halasz, « London – the swinging city. You can walk across it on the grass », *Time Magazine* (1966)

On comprend maintenant un peu mieux qui est le Français de Londres. Mais pourquoi diable a-t-il choisi cette ville ? Les dizaines de milliers de Français y habitant aujourd'hui constituent une population qui serait le produit de la quatrième grande vague de migration française dans la capitale britannique, un mouvement démographique de fond ayant débuté au cours des années quatre-vingt-dix. Mais après tout, pourquoi sont-ils venus ? Et pourquoi en sont-ils venus à représenter la quatrième communauté étrangère de la ville, après les Polonais, les Indiens et les Irlandais[1] ? Ces trois nationalités, attachées à des pays qui ont longtemps été plus pauvres que la Grande-Bretagne et qui, pour deux d'entre elles, en sont d'anciennes colonies, semblent se conformer plus aisément au stéréotype de la nation pourvoyeuse d'émigrés en recherche de travail et d'amélioration de leur niveau de vie. Mais comment comprendre la motivation du Français, le si fier Français, d'ordinaire si peu anglophile, qui vient d'un pays ayant peu à envier à son voisin septentrional ? Lorsque l'on sonde les Français de Londres, ce n'est pas toujours un concert de louanges que l'on entend. S'ils sont nombreux à vanter les mérites de leur vie britannique et les bénéfices personnels et professionnels qu'ils en tirent, ils sont tout aussi nombreux à pointer du doigt les aspects moins réjouissants de leur expatriation, comme l'indigence des services publics, le coût élevé de la vie ainsi que l'inévitable et inépuisable sujet du climat.

1. British Office for National Statistics, 2011.

L'appel de Londres n'est donc peut-être pas si évident. Au moment où la France et Paris s'interrogent sur les facteurs qui sous-tendent l'attractivité d'un pays ou d'une ville, il est peut-être utile de se pencher sur les raisons qui ont poussé des milliers de Français à venir tenter leur chance ici.

Depuis environ deux décennies, la capitale britannique a subi des transformations très significatives, qui, couplées à sa proximité accrue, ont renforcé son pouvoir d'attraction pour nos compatriotes.

Au commencement était, peut-être, l'Argent.

Certains bouleversements de l'ère thatchérienne ont en effet joué un rôle déterminant. Le big bang de la City, amorcé en 1986, a contribué fortement à la muer en une place financière de premier plan. En déréglementant le Stock Exchange, décloisonnant les métiers de bourse, modernisant les procédures d'échanges de titres et autorisant l'acquisition de sociétés de bourse britanniques par des institutions étrangères, cette vague de réformes, si elle a sonné le glas des antiques maisons de banque et de courtage, a déclenché un mouvement de consolidation au profit de quelques grandes institutions financières internationales, et a libéré les volumes de flux traités. Ce faisant, en s'ouvrant voire se vendant à l'étranger, la City est devenue non seulement la banque d'affaires de l'Europe, mais aussi celle du monde entier. Cette nouvelle fonction ne pouvait se contenter des systèmes de recrutement du passé, qui favorisait les réseaux de *old boys* et la cooptation. Dès lors qu'elle prétendait financer le monde entier, Londres a dû en parallèle drainer les talents du monde entier, et les Français, hautement qualifiés et versés dans les mathématiques, se trouvaient plutôt bien placés, ne fût-ce que pour couvrir leur propre marché. Nombreux sont nos compatriotes qui, travaillant à Londres dans la finance, travaillent en réalité pour des clients français, sur des opérations françaises, levant, négociant et investissant des titres financiers émis par des entités françaises (gouvernement compris), conseillant nos champions nationaux dans des opérations de croissance externe ou de financement. Cependant nombreux également sont ceux qui œuvrent pour l'intérêt de la haute finance internationale sans pour autant se mêler d'affaires françaises. Il est de ce point de vue curieux de voir que parmi les financiers qui ont été associés – à tort ou à raison – aux scandales financiers de la City ces dernières années, la France est l'une des nationalités les mieux représentées. De la « Baleine de Londres » qui coûta 2 milliards de dollars à J.P. Morgan aux enquêtes portant sur le gérant de fonds Gartmore, et en passant par l'implication de Goldman Sachs dans la crise des subprimes, à chaque fois l'un de nos compatriotes s'est retrouvé en première ligne des médias ou des autorités. Il ne faut évidemment pas en tirer une quelconque leçon sur la probité des Français, mais plutôt y voir le sous-produit de l'importance de leur présence au sein de ce secteur.

Contrairement aux attentes, les Français savent aussi être des hommes d'argent.

L'Angleterre a sacrifié ses institutions financières nationales parce que son bon sens ancestral lui a dicté que, pour maintenir et accroître le rayonnement de la City, il lui fallait se donner aux étrangers, à leur capital et leur expertise. Ce pragmatisme légendaire a également fait ses preuves dans d'autres domaines comme dans celui du football, où nos voisins ont compris que pour continuer à jouir d'un championnat de haute qualité et dominer la scène européenne, il leur fallait diluer le sang britannique de leurs équipes et acheter des prodiges internationaux par le biais d'une politique migratoire ciblée. « L'effet Wimbledon » (*the Wimbledon effect*), c'est-à-dire l'habileté d'un pays à maintenir une institution ou une compétition internationale de premier plan sans avoir d'acteurs nationaux y excellant, pourrait tout aussi bien s'appeler l'effet Premier League ou l'effet City. Une juste illustration de la stratégie de la Grande-Bretagne, qui sait si judicieusement s'appuyer sur les compétences des autres pour continuer à jouer dans la cour des grands en diplomatie, dans certains sports de compétition ou certains secteurs économiques.

Est-ce pur hasard si nos compatriotes semblent si bien représentés dans deux domaines aussi différents que le football et la finance ? Comme dans la City, les Anglais sont nettement minoritaires en Premier League, leur championnat professionnel d'élite. Alors que les joueurs nationaux dominent toujours le jeu dans d'autres compétitions prestigieuses comme La Liga ou la Bundesliga, les footballeurs anglais ont cédé leur place sur les feuilles de match à des joueurs étrangers. Après l'Angleterre, la France est de loin la nation la plus visible (devant l'Espagne), représentée par trente-deux joueurs lors de la saison 2013-2014, dont dix jouant dans les clubs de la capitale[1]. Si l'exode des meilleurs joueurs de notre pays n'est pas une nouveauté, loin de là, le départ outre-Manche n'a pas toujours été le chemin le plus couru. Dans les années quatre-vingt-dix, le Calcio italien, fréquenté par un contingent important de la génération 1998, attirait plus volontiers ces migrations sportives de haut niveau. Encourageant un mouvement lancé par deux mal-aimés du football français, ces deux exilés sportifs qu'étaient David Ginola et Éric Cantona, les clubs anglais ont pratiqué une politique de recrutement étranger nettement plus agressive que leurs concurrents européens, enrôlant massivement des professionnels français lors des deux dernières décennies. Le drainage des cerveaux de nos grandes écoles vers la City a donc coïncidé avec un détournement étonnamment similaire de nos athlètes.

Osons pousser la comparaison plus loin. Dans les deux cas, des jeunes hautement qualifiés, formés dans des systèmes élitistes (songeons à Clairefontaine), trouvent plus d'opportunités hors de nos frontières. Dans

1. Source : BBC.

les deux cas, le différentiel de revenus entre la France et le Royaume-Uni est éclatant. L'Angleterre fait surtout figure de pays de référence, de point de passage obligé pour des carrières moins bien pourvues en opportunités et peut-être également moins bien perçues en France. La critique publique à l'encontre de ces deux populations entretient d'ailleurs quelques ressemblances, qui décrit parfois ces jeunes migrants comme des mercenaires appâtés par la perspective de gains rapides et faciles.

C'est en grande partie en parvenant à canaliser l'argent et les hommes d'argent que Londres est également devenue une place mondiale pour d'autres domaines d'activité. La finance comme métier a besoin pour prospérer de juristes, d'une information spécialisée et pointue, de technologies de pointe, toutes ressources que l'on trouve concentrées à Londres plus que dans n'importe quelle autre ville d'Europe. Plus généralement, c'est parce que la finance est apatride et que l'argent est une valeur universelle qu'une ville capable de canaliser et organiser les flux financiers sera aussi capable de cristalliser et faire converger les marchandises, les idées, les cultures et les individus du monde entier. Londres réunit aujourd'hui les travailleurs de tous les pays, parce qu'elle offre aux financiers et aux entrepreneurs un forum global et parce qu'elle propose aux artistes, aux intellectuels et aux étudiants un observatoire unique sur la planète et sa diversité. Si Londres est une ville-monde, ce n'est pas seulement parce que sa zone d'influence est coextensive à la planète, mais c'est aussi parce qu'elle abrite un concentré de population mondiale, un microcosme multiculturel qui polarise des flux migratoires très variés. Par l'ampleur, mais surtout la diversité des migrants qui s'y massent, travailleurs qualifiés ou non qualifiés, étudiants ou actifs, expatriés de pays riches ou moins riches, elle est la seule vraie ville cosmopolite d'Europe, et beaucoup de capitales du continent font figure de places provinciales à ses côtés. Sa capacité à rassembler les hommes et leurs ambitions est sans égale en Europe, et l'immigration française s'inscrit pleinement dans ce cadre multiculturel.

Tel n'a pas été le sort d'autres villes financières, telles que Francfort ou Genève dont le magnétisme est bien plus faible. Ces cités n'ont pas le lourd et riche héritage d'une ancienne capitale impériale, mais toujours capitale d'une grande puissance, le premier carrefour aéroportuaire mondial, le lieu de résidence des têtes couronnées les plus célèbres du monde, et, depuis plusieurs décennies le porte-drapeau d'un pays qui aura su se façonner une image de marque séduisante, d'un Union Jack qui a été arboré comme logo ou motif par des ambassadeurs aussi dissemblables que les Sex Pistols, la reine d'Angleterre, les Spice Girls, Burberry's ou Reebok ; qui évoque encore aussi bien et avec la même force de conviction la *Cool Britannia* des Rolling Stones que la *Rule Britannia* de l'impératrice Victoria.

La valeur intangible de Londres a donc explosé, et c'est bien une petite révolution qui s'est effectuée dans le regard porté par la France sur les rives de la Tamise. Nombreux sont les membres de la génération de mes parents qui reconnaissent être surpris par la mue opérée par la capitale britannique depuis ces deux dernières décennies. Leurs premiers souvenirs de Londres étaient ceux d'une ville triste et morne, vitrine peu séduisante de la Grande-Bretagne préthatchérienne et thatchérienne, unanimement perçue comme la vieille dame malade de l'Europe. Quelques années après ma naissance, en 1979, le groupe de rock The Clash chantait avec une ironie coléreuse son célèbre *London Calling*. La ville ainsi chantée n'était pas celle d'aujourd'hui, internationale et vibrante, mais la capitale épuisée et délabrée d'une puissance en déclin. Elle n'était pas ce lieu de culture universelle que l'on peut désormais observer, mais le berceau de la contre-culture punk, expression d'un pays désabusé qui avait perdu foi en son avenir (*No future !*).

Les Clash situaient leur ville dans un environnement international apocalyptique, hanté par la peur du nucléaire (l'accident de Three Mile Island venait d'avoir lieu) et de la pénurie alimentaire, et la décrivaient comme un enfer urbain frappé par la répression policière et menacé d'engloutissement par les eaux mal régulées de la Tamise.

Trente-cinq années plus tard, la Tamise déborde toujours, les désastres atomiques n'ont pas disparu, la sécurité alimentaire mondiale n'est toujours pas assurée et les émeutes urbaines sont toujours d'actualité. Le discours sur la ville a en revanche changé et partout elle semble célébrée et admirée, malgré tous ses défauts, ses laideurs et ses fêlures. Pour la petite histoire, le coup de contre-publicité qu'était cette chanson pour Londres, ne l'a pas empêchée d'être jouée lors de la cérémonie d'ouverture des jeux Olympiques d'été de 2012.

On me demande parfois si cette renaissance londonienne ne s'est pas déployée aux dépens de notre belle métropole parisienne, si la vie ne s'y est pas progressivement éteinte, comme éclipsée par le printemps londonien. Si cette description simpliste est très largement exagérée, Londres a développé des atouts dont elle ne pouvait se prévaloir vingt ans auparavant, précisément dans ces domaines qui font la gloire des villes cosmopolites et dont Paris reste l'un des hauts lieux.

Prenons le monde de l'art contemporain. Londres jouit d'un quasi-monopole européen sur ce marché, alors que Paris, qui tenait le premier rang mondial jusque dans les années cinquante, n'y occupe plus qu'une place marginale, recueillant des échanges huit fois plus petits qu'à Londres[1]. On m'opposera qu'il s'agit là d'une approche très mercantile du milieu de l'art qui ne

1. Cf. à ce sujet le rapport d'information sur le marché de l'art contemporain en France réalisé par le Sénat en 2011, ainsi que les rapports de recherche annuels compilés par la société Artprice.

saurait se réduire à son économie. Soit, mais séparer l'art de son marché serait ignorer qu'artistes, maisons de vente, galeries, musées, foires, écoles d'art et mécènes forment un seul et même écosystème, dont la capitale britannique constitue l'une des versions les plus achevées. Le rayonnement de son marché doit être resitué dans un contexte plus général, celui du succès relatif des artistes britanniques, dont la visibilité mondiale est bien plus élevée que celle de leurs homologues français[1], de l'amélioration continue de l'offre muséale londonienne (songeons à la Tate Modern), de la percée de la Frieze et de la concentration impressionnante de grandes galeries internationales dans le West End. Je ne commenterai pas les raisons du long déclin de la place de Paris, mais insisterai plutôt sur celles qui ont présidé à la réussite de Londres dans ce domaine. Citons en quelques-unes. L'argent, que l'on trouve en abondance à Londres, permet la multiplication des collectionneurs, en particulier les nouveaux riches de la finance qui sont si bien représentés parmi les acheteurs d'art contemporain. La culture du mécénat privé, plus ancienne et plus développée qu'en France, nourrit toute

1. Parmi les 100 artistes dont les œuvres sont les plus vendues aux enchères en 2012-2013 (en valeur et dans le monde), on comptait huit Britanniques et un seul Français (source : Artprice). De même, la présence dans les grandes collections internationales des artistes français ayant œuvré à partir des années soixante est très marginale (source : Sénat).

la chaîne alimentaire du milieu en soutenant les artistes britanniques. Le rôle de Charles Saatchi dans la promotion des *Young British Artists* en est une illustration célèbre, qui, quoique déjà ancienne, étend encore ses ramifications sur la valeur et la notoriété de ces artistes, comme peuvent en témoigner les records récents de ventes de Tracey Emin. La proximité culturelle et économique de la capitale britannique avec New York, premier marché mondial de l'art contemporain, joue également un rôle non négligeable. Sotheby's et Christie's, maisons anglaises à l'origine, opèrent de nos jours comme des groupes bicéphales, calés entre les deux grandes métropoles anglo-saxonnes. Enfin, plus généralement, parce que Londres est, plus que n'importe quelle autre ville, le point nodal de la mondialisation, elle est aussi la mieux placée pour être non seulement une ville-foire majeure, mais également un forum d'échange et de rencontre pour la scène artistique internationale.

La gastronomie fournit une autre illustration de cette petite révolution londonienne, en l'occurrence une révolution du palais. Quiconque soutient encore que la table anglaise est une insulte au bon goût n'est pas venu récemment dans cette ville, où Alain Ducasse et Joël Robuchon ont tous deux ouvert boutique et qu'ils ont qualifiée de capitale gastronomique mondiale[1]. Non

1. Jasper Gerard, « Alain Ducasse : London is the restaurant capital of the world », *Daily Telegraph*, 21 janvier 2010 ; Martin

qu'ils versent eux aussi dans un accès déplorable de *French Bashing*. Ils reconnaissent tout simplement la diversité et la richesse de la scène gastronomique londonienne, primée par la deuxième plus grande constellation d'étoiles Michelin d'Europe après Paris.

Les meilleurs restaurants japonais, thaïlandais ou indiens d'Europe sont à Londres, illustration culinaire de son cosmopolitisme, qui, mariant des saveurs étrangères les unes aux autres et attirant des forces créatives de France, d'Italie et d'Asie, rend l'offre en restaurants de la ville si séduisante. Cela pourrait donner raison aux sceptiques, qui y verront la preuve par défaut du désert culinaire anglais. Pourtant de grands chefs britanniques pratiquent leur art à Londres, un grand nombre d'entre eux, reconnaissons-le, ayant été formés par des maîtres français, tels Gordon Ramsay qui a fait ses classes chez Guy Savoy ou Marco Pierre White qui a fréquenté les cuisines de Raymond Blanc. Cette précision est importante, parce que la nouvelle cuisine britannique a dû incorporer le savoir-faire du continent pour émerger de l'obscurantisme gastronomique dans lequel elle évoluait. Elle a su redécouvrir ses produits locaux, ses crabes et poissons du Devon ou ses agneaux du Northumberland, et appris à leur faire honneur en raffinant ses sauces et réglant sa cuisson. Cette réinvention s'est effectuée dans les établissements étoilés

---

Beckford, « Top French chef declares London capital of cuisine », *Daily Telegraph*, 21 janvier 2011.

de la capitale, mais également dans certains de ses *pubs*, pardon ses *gastro pubs*, qui ont su s'adapter à leur nouvelle clientèle, exigeante et internationale, sous peine de périr d'une mort qui aurait été méritée, tant certains d'entre eux ressemblaient à des auberges de misère. Bref, à l'heure du repas, Londres mérite donc le détour. Métissage et excentricité définissent le mieux son offre culinaire haut de gamme qui sait oser, avec plus ou moins de succès, mais sans jamais laisser de surprendre, le homard sauce thaï, le sushi au foie gras ou le pigeon épicé à la bière.

Parlons un peu de mode maintenant. Une ville n'est-elle pas vraiment désirable que si elle est capable d'arbitrer les élégances et créer des tendances ? Dans ce domaine, comme dans celui du luxe en général, la position de Paris paraît imprenable et Londres semble loin de lui rafler le titre de capitale mondiale.

Londres nous évoque d'abord les tailleurs de Saville Row et les chausseurs de Jermyn Street, c'est-à-dire un habillement masculin sérieux, strict et intemporel. Elle évoque aussi l'*outdoor*, l'art de s'équiper pour les intempéries, que symbolise au mieux le fameux imperméable de Burberry's. Paradoxalement, c'est également dans le pays qui a inventé la notion de *dress code* que les conventions vestimentaires ont été le plus volontiers rompues. Songeons par exemple à la minijupe de Mary Quant, inventée dans les années soixante, ou aux audaces punk de Vivienne Westwood quinze ans plus tard. En somme, la contribution londonienne à l'histoire de la mode pourrait se résumer à l'alliance du *tweed* et du *trash*, du formel et du débraillé, de Kate Middleton (surnommée duchesse de l'insipide par Vanessa Friedman[1] !) et de Kate Moss. Londres a du style, sans aucun doute, mais son aura n'a rien de comparable à celle de Paris, capitale mondiale incontestée du luxe et de l'élégance féminine, fief de marques légendaires concentrées autour de quelques grands groupes puissants. Pourrait-on imaginer en France une personnalité comme Victoria Beckham, femme de footballeur et pop star pour adolescentes, développer avec autant de succès sa marque haut de gamme ? Pas sûr… Comme l'expliquait une journaliste française dans les colonnes du *Guardian*, à Paris Posh Spice serait plus perçue comme une victime que comme une héroïne de la mode, et « si elle veut prouver au monde qu'elle est une créatrice sérieuse, il lui faudra se faire reconnaître ici [à Paris], parce que la mode ne se réduit pas au glamour et au rock, elle suppose un savoir-faire qui doit survivre au jugement du temps »[2].

Néanmoins, petit à petit, la révolution londonienne a poursuivi sa marche et lentement bouleversé les

---

1. Ancienne rédactrice mode du *Financial Times*, aujourd'hui au *New York Times*.

2. Agnès Poirier, « Can David and Victoria Beckham pass the Paris test ? », *The Guardian*, 21 décembre 2011.

préjugés. Si la création britannique ne peut rivaliser avec la haute couture parisienne et ses grandes enseignes, Londres est néanmoins devenue un laboratoire de créativité, dont le berceau se trouve à Central St. Martins, l'école la plus réputée au monde dans ce domaine[1]. Une génération exceptionnelle de créateurs britanniques, celle d'Alexander McQueen, de John Galliano ou de Phoebe Philo, née dans les années soixante et au début des années soixante-dix, formée à St. Martins, a d'abord colonisé les maisons de haute couture françaises. Certains d'entre eux, comme Stella McCartney, sont revenus à Londres pour créer leur propre griffe, suscitant des émules, des vocations et irriguant la ville de leur expérience parisienne. L'audience mondiale de Londres, son marché avide de luxe et de nouveauté, la collaboration étroite entre les écoles et l'industrie de la mode créent un environnement fertile qui a donné naissance à de nombreux entrepreneurs créateurs, aussi bien britanniques (comme Alice Temperley ou Christopher Kane) qu'étrangers (Mary Katrantzou par exemple). Cet élan entrepreneurial, on le retrouve aussi dans la distribution, dans une ville qui offrait déjà les grands magasins parmi les plus célèbres au monde et qui a industrialisé avant

1. Sur le rôle de St. Martins et la pépinière londonienne, lire notamment Julien Neuville, « Why isn't the world's fashion capital producing more emerging fashion businesses ? », *The Business of Fashion*, 8 mars 2012.

le reste de l'Europe la distribution numérique, comme l'atteste le succès phénoménal d'une société comme Net-à-Porter. Londres n'a pas détrôné et ne détrônera pas avant longtemps l'establishment parisien du luxe et sa grandeur aristocratique mais se fraie progressivement un chemin, attirant par la même occasion l'attention et l'argent des géants mondiaux du luxe.

Dominante dans le marché européen de l'art contemporain, désormais légitime dans la gastronomie où personne ne l'attendait auparavant, prometteuse dans la mode, Londres s'est donc taillé une réputation de métropole incontournable bénéficiant d'un cercle vertueux où l'afflux de capital et de talent produit des rendements créatifs élevés.

J'oublie ce qui est peut-être l'atout majeur de cette ville : l'usage de l'anglais comme *lingua franca* internationale sans lequel Londres ne serait pas la Londres que l'on connaît aujourd'hui. L'Angleterre peut remercier les États-Unis d'avoir œuvré à la suprématie de sa langue, générant enfin un retour tardif, mais ô combien lucratif, sur son ancien investissement colonial.

Que le Français soit surreprésenté dans la *cosmopolis* londonienne s'explique assez aisément. Relativement à bien d'autres minorités ethniques, nos compatriotes bénéficient d'une proximité accrue avec leur patrie d'origine. Proximité géographique bien entendu, tant l'ouverture du tunnel sous la Manche et des liaisons ferroviaires en 1994 a réduit la distance perçue entre les deux pays, créant une impression de continuité territoriale que les courts trajets par avion n'avaient jamais vraiment pu susciter. Proximité, ou plutôt facilité linguistique, dans la mesure où, si le Français est trop fier de sa belle langue pour s'investir dans l'apprentissage des autres, il saura toujours baragouiner suffisamment d'anglais pour trouver son chemin et évoluer à Londres. En somme, Londres attire le Français parce qu'il y trouve un échantillon du monde entier à sa porte et à peu de frais. Bien qu'originaires d'une ancienne puissance coloniale, les Français n'ont pas été au cours de leur histoire un peuple de diaspora, comme les Italiens, les Irlandais, les Chinois ou même les Anglais, qui ont laissé un peu partout dans le monde des colonies de peuplement ou des quartiers urbains entiers. S'il a aimé explorer, visiter et parfois soumettre le monde, le Français y a, plus rarement que d'autres, élu domicile permanent pour y laisser sa descendance se développer. Londres est peut-être une exception contemporaine à cette règle historique, une immigration douce et facile, qui donne à notre peuple la possibilité de s'expatrier durablement et en masse, tout en demeurant près de chez soi et entre soi. Vue du côté français, l'importance de la communauté gauloise fait de la capitale britannique, située à deux heures trente de train de Paris, une ville frontière plus qu'une métropole étrangère, une excroissance naturelle de notre territoire plus qu'un lointain comptoir colonial.

Un malentendu cordial

« Il y a plein de Français qui ne sont ni hypocrites, ni inefficaces, ni agressifs, arrogants, adultérins ou incroyablement sexy. Ceux-là sont juste complètement absents de mon livre... »

Stephen Clarke, *A year in the Merde*
(roman sur les péripéties
d'un jeune Anglais en France)

« Ce qu'il y a de meilleur à l'étranger, ce sont les compatriotes qu'on y rencontre. »

Paul-Jean Toulet, *Journal et voyages*, 1888

À chaque retour en France, on me demande si je fréquente des Anglais. Question parfaitement légitime, dans la mesure où depuis plus de dix ans s'y déroule l'essentiel de ma vie sociale. La réponse est en revanche souvent décevante pour celui qui la pose, parce que non seulement la majorité des Français de Londres ne fréquente pas les résidents autochtones, mais surtout ne cherche absolument pas à les rencontrer.

On devrait s'attendre à côtoyer la population locale sur le lieu de travail, au bureau, mais en réalité, là comme ailleurs, l'Anglais est une espèce en voie de disparition. Les deux Anglais présumés qui travaillent dans ma société détiennent respectivement des passeports américain et irlandais et ont usurpé la nationalité britannique avec un certain succès, sans doute parce qu'ils étaient les seuls parmi leurs collègues internationaux à parler la langue correctement, ayant tous les deux été élevés en Grande-Bretagne. En règle générale, l'Anglais est fortement minoritaire dans les institutions financières londoniennes, qui, soucieuses de couvrir le monde et sa diversité culturelle, lui préfèrent les contingents venus d'Europe continentale ou d'ailleurs, plus nombreux et surtout plus doués pour les langues. Dans la finance comme dans de nombreux autres secteurs d'activité tels le marché de l'art, l'industrie du luxe ou le négoce de matières premières, la main-d'œuvre qualifiée est totalement multinationale, traduisant le cosmopolitisme londonien. C'est d'ailleurs un sujet de grief pour certains Britanniques de la City, qui se sentent étrangers dans leur propre pays et leurs propres entreprises. En discutant de nouvelles recrues avec l'un de mes collègues britanniques, lui faisant remarquer qu'il avait engagé trois Écossais dans son équipe, je lui demandais s'il comptait fonder une Nouvelle-Écosse au bureau. Il m'a dit : « C'est exact, ils sont tous écossais, mais au moins ils sont britanniques, et ça fait du bien au milieu de tous ces étrangers. » L'Anglais de la City s'estime en effet souvent dilué dans cette foule anonyme et apatride d'Européens exilés et certains, de moins en moins nombreux il est vrai, préfèrent faire de la résistance et rester cantonnés dans les quelques rares institutions britanniques où ils peuvent encore prétendre représenter la majorité. Tâche peu aisée d'ailleurs, tant la Grande-Bretagne s'est évertuée, et avec succès, à céder à des intérêts étrangers les noms les plus emblématiques de la City d'antan. La plupart des anciennes banques d'affaires (*merchant banks*) ou maisons de courtage britanniques, dont certaines ont été associées à la grandeur impériale du pays, les Hambro, Hoare Govett, Fleming, Baring, Schroders, Cazenove ou autres Morgan Grenfell ont disparu. Elles ont été vendues par leur anciens propriétaires à des institutions multinationales au cours des années quatre-vingt-dix et deux mille – conséquence de la déréglementation, initiée une décennie plus tôt, qui avait permis aux banques américaines et, dans une moindre mesure, européennes, d'investir massivement l'une des plus anciennes places financières du monde.

En dehors du bureau, on ne croise pas plus l'Anglais dans la rue, et c'est à peine si on entend parler sa langue. Il ne réside pas dans les mêmes quartiers que l'immigré européen. Bouté hors de l'ouest de Londres, il s'est réfugié dans des parties plus périphériques de la ville comme Clapham, Putney, Maida Vale ou Chiswick, parfois en lointaine banlieue, à Wimbledon ou Richmond, ou à la campagne, dans le Surrey ou autre *shire*s du sud-est.

En réalité, l'Anglais a plus fui l'étranger qu'il n'a été chassé par lui. Regardons la vérité en face : il n'a pas vraiment envie de nous voir, et n'éprouve nulle envie de nous inclure dans son univers social. Dans un livre qui traite avec humour et érudition de ses compatriotes, Jeremy Paxman, l'un des journalistes contemporains les plus célèbres, analyse en détail ce dédain des Britanniques vis-à-vis des étrangers[1], qu'il explique notamment par l'insularité. Dans des passages particulièrement délectables, quoique à déconseiller aux chauvins, il énumère les insultes et autres expressions peu flatteuses incluant le mot *French* que l'anglais a inventées au cours des siècles et qui illustrent cette francophobie historique. Parmi les plus intéressantes, citons « *the French Consular Guard* » (les prostituées), « *taking French lessons* » (avoir recours aux services de ces dernières), « *the French disease* » (la syphilis, naturellement contractée en classe de français), l'expression « *pardon my French* » qui s'emploie pour s'excuser d'avoir laissé échapper une grossièreté, ou encore l'expression « *take a French leave* » qui signifie… filer à l'anglaise ! Il précise toutefois que la langue française a inventé quelques expressions symé-

1. Jeremy Paxman, *The English*, Londres, Penguin, 1998.

triques, comme « les Anglais ont débarqué », ou la fameuse « capote anglaise », qui, de manière similaire, déprécient l'autre nationalité en la logeant en dessous de la ceinture. De part et d'autre de la Manche, on remarquera que la langue populaire a volontiers puisé dans le lexique de la sexualité ou de l'épidémiologie, c'est selon, pour dénigrer le riverain d'en face, suggérant un sentiment complexe de désir et de rejet, une xénophobie fort ambiguë sur laquelle je reviendrai.

La guerre de Cent Ans, Jeanne d'Arc, la *Auld Alliance*, Fontenoy, la guerre d'indépendance américaine, la rivalité coloniale et surtout Napoléon[1] (qui trône juste en dessous d'Hitler dans le panthéon anglais des anti-héros de l'Histoire) seraient, pêle-mêle, responsables de cette animosité à notre égard. Animosité toutefois nuancée par l'admiration à demi avouée que les Anglais vouent à notre style de vie, notre patrimoine culturel, nos paysages ou la sophistication de notre mode féminine. Du point de vue britannique, l'Angleterre est à la France ce que le *principe de réalité* est au *principe de plaisir*. La France est en effet un immense terrain de jeu et de

1. On rappellera à ce propos que George Orwell – que l'on ne pouvait pas accuser d'être francophobe – avait nommé le cochon-dictateur de *La Ferme des animaux* Napoléon, consacrant par là une comparaison implicite de l'Empereur avec Staline, la vraie cible de ce conte satirique. Sans doute pour ne pas offusquer notre fierté patriotique, Napoléon avait été rebaptisé César dans les premières traductions françaises du livre.

jouissance pour l'Anglais, un pays de cocagne dont le terroir produit des vins fins, dont le climat est chaleureux et la gastronomie généreuse. Il y passe ses weekends, ses vacances, s'y constitue un patrimoine immobilier, et quelquefois s'y installe définitivement, s'y retirant pour ses vieux jours. La Provence puis la vallée de la Dordogne, le célèbre *Dordogneshire*, sont depuis la fin du XIXe siècle des lieux de villégiature pour la bonne société britannique, pourtant fort attachée au charme léché de sa propre campagne. Notre pays est pour les Anglais un territoire de loisir, mais aussi un lieu d'inspiration et de contemplation. De nombreux écrivains britanniques comme D.H. Lawrence, Lawrence Durrell, W. Somerset Maugham et Graham Greene ont vécu dans le sud de la France, ont parfois choisi d'y finir leurs jours et y ont écrit certaines de leurs plus belles pages. La France, comme sans doute l'Italie, est un pays ou peuvent s'épanouir la nature, les arts et les nourritures terrestres les plus variées.

Une France sans Français, la culture d'un pays sans le peuple qui la fait fructifier, tel est donc le rêve des Anglais. Dans un souci sévère de nous ramener au principe de réalité, nos amis d'outre-Manche estiment que nous prenons un peu trop de libertés et menons une vie trop facile pour être pérenne. Que penser en effet de notre licence sexuelle excessive, de la légèreté assumée de nos mœurs, dans une société où tout le monde couche apparemment avec tout le monde, en *ménage à trois* ou dans l'adultère ouvert, suivant en cela le piètre exemple de nos dirigeants politiques ? N'ignorons-nous pas également la dure réalité des lois économiques ? Nous désertons notre lieu de travail au mois d'août, notre État-providence surdimensionné dilapide sans compter les fonds des générations futures, éloigne la population du travail par ses politiques dispendieuses et déresponsabilisantes, ou cède à son ire légendaire dès qu'elle se prend à manifester et monter aux barricades lorsqu'un gouvernement mal avisé entreprend de remettre en question les acquis sociaux de la République. Vue d'Albion, la France est un grand jardin d'enfants où étudiants, particuliers et corps constitués se déversent dans les rues à la moindre contrariété, où la gratuité est érigée en norme, dans l'ignorance de l'adage anglo-saxon qui veut que *there is no such thing as a free lunch.*

« *France in Denial* », titrait en une *The Economist* pendant l'élection présidentielle française de 2012. Sur la couverture de ce numéro – une reproduction détournée du *Déjeuner sur l'herbe* de Manet –, Hollande et Sarkozy y conversent en compagnie de deux jeunes femmes dénudées lors d'un pique-nique paresseux et hédoniste au bord de l'eau. On ne saurait mieux résumer la perception de notre pays par nos voisins. Dans une période de difficultés économiques, au moment où des choix cruciaux doivent être faits pour l'avenir de leur pays, la classe politique et sans doute la société française tout entières se perdent en discussions futiles et vivent dans leur bulle d'idées et de volupté. On ne peut s'empêcher de voir dans les salves répétées de cette publication contre notre pays l'irritation quelque peu jalouse de l'élève sérieux vis-à-vis de son camarade dissipé et jouisseur...

L'Anglais n'est ni francophobe ni francophile, mais est peut-être un peu *francomane*. Si le regard qu'il porte sur nous est plus souvent critique qu'admiratif, il semble s'intéresser aux Français beaucoup plus que les Français ne s'intéressent à lui. Il serait sans doute un peu exagéré de parler d'idée fixe, mais nous le laissons rarement indifférent et, lorsqu'il est question des Français et de leurs impertinences, son flegme légendaire s'efface derrière une susceptibilité d'adolescent. Une anecdote révèle cette petite obsession latente de nos voisins d'outre-Manche. Radio 4, l'une des stations de la BBC, avait diffusé un reportage-canular le 1er avril 2010 – fausses interviews de vrais experts à l'appui –, révélant que de nouvelles fouilles archéologiques à Stratford-upon-Avon avaient exhumé un médaillon offert par la mère de Shakespeare à son fils, orné d'une inscription en français dans laquelle Mary Arden, la mère de l'écrivain, nomme William Guillaume, et qu'elle signe Marie Ardennes. Cette découverte en appelait une autre, scandaleuse, celle de la nationalité française de la mère du plus grand dramaturge britannique, qui, par voie de conséquence, se révélait aussi être un peu français. Et le reportage de recueillir les réactions d'un (faux ?) Jack Lang se félicitant de cette trouvaille, prêt à accueillir Shakespeare dans le panthéon littéraire national auprès, mais non au-dessus, de Racine et Molière. Qui aurait eu en France l'idée d'un tel canular ? La nouvelle d'une prétendue origine britannique de Voltaire ou de Victor Hugo n'éveillerait que peu d'intérêt auprès du public français, et ne piquerait que très légèrement notre orgueil national. Les Français savent aussi être ridiculement chauvins, c'est certain, mais l'Anglais ne paraît pas bénéficier d'une place particulièrement distinguée aux côtés d'autres étrangers comme les Allemands ou les Américains dans notre corpus national de stéréotypes inamicaux.

Pourquoi une telle asymétrie d'intérêt, ces sentiments récurrents, mais non partagés, à notre égard ? Est-ce parce que l'Angleterre, lorsqu'elle daigne se pencher sur l'Europe continentale, trébuche inévitablement sur la France, sa plus proche voisine géographiquement et la première grande nation à s'être trouvée, dans le passé, régulièrement et insolemment sur son chemin ? Est-ce par dépit de n'avoir jamais pu durablement s'approprier ce pays, dont elle tire certaines de ses racines et dont elle a été copropriétaire pendant près de quatre cents ans ? Ou est-ce tout simplement parce que la France est le territoire dans lequel les Anglais auraient aimé habiter et qui leur a toujours échappé ? Nos amis anglais aimeraient bien tordre le cou de ce coq gaulois arrogant qui leur a régulièrement fait la nique au cours de l'Histoire. Cette légère irritation, ce titillement désagréable, qui a été nourri par des siècles de rivalité militaire et économique, se réveille le plus souvent sur le terrain sportif, lors du Tournoi des cinq nations ou de matchs de football. Un plaisantin anonyme a, juste avant le début de la Coupe du monde de football 2014, fabriqué sur Internet de fausses couvertures de journaux anglais, imaginant avec humour les réactions de la presse dans l'hypothèse, inconcevable et inespérée, d'une victoire finale de l'équipe aux Trois Lions. Tous ces faux titres suggéraient qu'un tel événement – dont l'Angleterre rêve sans vraiment y croire depuis 1966 – aurait donné lieu à une crise d'hystérie collective sans précédent et ranimé le complexe dormant de supériorité de nos voisins. Ainsi, la première page parodiée du *Telegraph* (l'équivalent de notre *Figaro*) montrait une photographie de François Hollande déclamant une « Déclaration d'Infériorité » devant une foule massée sur Trafalgar Square (on appréciera le symbole du lieu), affirmant que « vous [les Anglais] avez toujours été meilleurs que nous dans tous les domaines », et confirmant solennellement, entre autres choses, la place prédominante de Shakespeare dans l'ordre des préséances littéraires. En un moment historique pour la nation, n'aurait-il pas été opportun de régler quelques petits comptes avec ses voisins ? Hélas pour eux, les Anglais sont rentrés bredouilles du Brésil, perdant une occasion unique de satisfaire ce fantasme triomphaliste.

Les Français ne sont néanmoins pas en reste dans cet exercice de critique et force est de constater qu'une certaine anglophobie diffuse survit au sein de la communauté française de Londres. J'entends parfois mes congénères français décrire les Anglais en termes peu flatteurs. Qui n'a pas entendu, dans l'univers professionnel, parler du « Rosbif » ou du « Brit » sournois, hypocrite, fuyant, trop bien élevé pour être fiable, faussement modeste ? Autre personnage-cliché, par ailleurs popularisé dans *Bridget Jones*, la *PA*, ou *personal assistant*, qui hante volontiers les pubs après 17 heures, et manifeste une attitude légère qu'on prête aux filles faciles. Le penchant apparemment immodéré des Anglaises pour le pinot grigio ou la bière, ainsi que leur manque de retenue en public, résument assez bien la vision (tronquée, mais, comme tout cliché, partiellement vraie) que nos compatriotes ont des Londoniennes, ou en tout cas de celles qui adoptent le comportement de la *ladette*[1], version antithétique et populaire de la *Lady*.

Bref, le Français aime railler ses hôtes, adoptant en cela un comportement sans doute commun à bon nombre de minorités immigrées vivant en d'autres temps ou d'autres lieux.

Il est certes de bon ton d'avoir un voire deux amis anglais, avec qui l'on dîne une fois par an, mais dont on parle comme s'ils étaient intimes. Cet ami anglais

1. Version féminine du new lad, jeune homme aux penchants machistes, s'adonnant régulièrement à des sessions publiques de consommation excessive d'alcool (*binge drinking*).

est brandi comme un certificat minimum d'intégration, une caution morale qui rassure et flatte à la fois l'immigré irrité de tourner en rond dans son ghetto ethnique. Cet ami britannique est-il réellement 100 % appellation d'origine contrôlée ? Non. Il est souvent soit à moitié français, soit marié à un conjoint français, ou a travaillé en France pendant de nombreuses années, y ayant appris la langue et acquis une rare francophilie. Son amitié sera peut-être sincère et véritable, mais il est en réalité sur le plan humain ce qu'en linguistique l'on désignerait comme un faux-ami : on le voit comme britannique, mais il ne l'est point, ou pas complètement.

Cela dit, à titre d'exception, l'un de mes rares amis anglais est génétiquement correct, mais de confession catholique, il appartient en fait à une minorité dans son pays. Discriminés et persécutés depuis le règne d'Henry VIII jusqu'à l'époque victorienne, les catholiques anglais représentent aujourd'hui un groupe social solidaire, doté d'une foi fervente et logiquement ouvert sur le continent où vit l'essentiel de la communauté papiste européenne. Je crois qu'il me fréquente parce qu'il voit en moi un coreligionnaire fraternel. S'il savait que je ne suis qu'un piètre pratiquant et que ma foi tend dangereusement vers l'agnosticisme, je crains qu'il n'arrête de me voir. Je me garde bien évidemment de lui confier mes états d'âme, de peur de perdre une pièce d'exception dans ma collection d'amis.

Attention, l'ami anglais est un transfuge intermittent. Il garde bien souvent ses deux existences sociales cloisonnées et ne mélange pas ses fréquentations. Attaché à la France par quelque lien, familial ou autre, il maintient ses amitiés gauloises en quarantaine. Mais soyons honnêtes : si les indigènes n'ont guère envie de devenir nos intimes, nous faisons nous-mêmes peu d'efforts, trop fiers pour amorcer le moindre geste envers le peuple qui nous accueille par milliers dans sa capitale. Si le Français expatrié daigne sortir de son carcan communautaire, c'est pour fréquenter des Allemands ou des Italiens plutôt que des Anglais, recherchant une sociabilité solidaire où les immigrés parlent aux immigrés, faisant fi d'un groupe ethnique dominant qui reste résolument à l'écart. La probabilité qu'un Français célibataire convole en justes noces avec une Mexicaine, une Polonaise ou une Américaine est plus élevée à Londres que la célébration d'un mariage franco-anglais, fait suffisamment rare pour qu'il soit remarqué et amplement commenté dans la colonie gauloise lorsqu'il se produit.

En réaction au communautarisme franchouillard, il est commun de voir à Londres des Français qui, en vertu d'un snobisme rappelant celui du touriste fuyant son semblable, cherchent avant tout à éviter la fréquentation de leurs compatriotes pour cultiver des relations cosmopolites qui flattent leur vanité et leur procurent l'impression gratifiante d'être au-dessus et en dehors de leur petit enclos national. C'est dans cet esprit que l'une de mes connaissances franco-londoniennes m'a fait remarquer malicieusement que si nous nous croisions souvent lors de mariages unissant un conjoint français à un étranger, lui était toujours invité par la partie internationale, et moi par la partie française, manière pour lui de souligner l'étroitesse chauvine de mon univers social, comparée à la diversité transfrontalière du sien. Hélas, même ces citoyens du monde autoproclamés doivent essuyer l'affront de l'indigène déclinant poliment la société de l'immigré-colon.

Nulle œuvre littéraire n'illustre mieux ce rapport complexe d'amour-haine entre Français et Anglais que la pièce exceptionnelle écrite par Shakespeare sur Henry V, le souverain qui a vaincu si brillamment la chevalerie française à Azincourt. Il est d'ailleurs tentant de lire dans cette épopée guerrière le récit d'une quête amoureuse frustrée, qui trouve sa résolution dans la conquête et l'usage de la force. Henry désire violemment la France et rêve d'unir le royaume à la couronne d'Angleterre, mais comme elle se refuse à lui, il traverse la Manche avec ses troupes et l'envahit. Dans la première scène de l'acte II[1], les troupes violent symboliquement et littéralement la paisible cité portuaire d'Harfleur.

1. William Shakespeare, *Henry V*, traduction de Francois-Victor Hugo (1873).

Henry perce et pénètre les murailles de la ville (« Retournons, chers amis, retournons à la brèche »), et menace ainsi les bourgeois normands en cas de non-capitulation :

> *Les portes de la pitié seront toutes closes ;*
> *et le soldat acharné, rude et dur de cœur,*
> *se démènera dans la liberté de son bras sanguinaire*
> *avec une confiance large comme l'enfer,*
> *fauchant comme l'herbe*
> *vos vierges fraîches écloses et vos enfants épanouis !*
> *Eh ! que m'importe, à moi, si la guerre impie,*
> *vêtue de flammes comme le prince des démons,*
> *commet d'un front noirci tous les actes hideux*
> *inséparables du pillage et de la dévastation !*
> *Que m'importe, quand vous-mêmes en êtes cause,*
> *si vos filles pures tombent sous la main*
> *du viol ardent et forcené !*

Harfleur donne ses clés au roi et Henry file écraser l'arrogante chevalerie du royaume de France en Picardie, près d'Azincourt, grâce à une tactique défensive ingénieuse, ses archers gallois et la mauvaise qualité du terrain, peu propice aux charges de cavalerie. Vaincu, Charles VI donne sa fille Catherine en mariage au héros éponyme de la pièce pour que le futur fruit de leur union puisse légitimement prétendre au royaume et devenir souverain de France et d'Angleterre. Tout a donc l'air de bien finir pour Henry, et son union avec la jeune princesse semble prête à être consommée. Mais ne s'agit-il pas d'un mariage arrangé par le cours de la guerre entre deux individus qui ne se comprennent pas, au sens propre comme au sens figuré ? Catherine ne parle pas un mot d'anglais (ses paroles sont en français dans le texte), et n'entend dans cette langue étrangère que des sonorités grossières qui heurtent sa sensibilité de vierge princière[1]. Henry, qui ne parle pas mieux le français, est mû par une libido politique déterminée. Il force plus qu'il ne courtise, passant outre les préliminaires de la séduction, et ne s'intéresse qu'au résultat : mener à bien sa double conquête, celle de la France et celle de Catherine de Valois, qui la personnifie. Il arrache finalement un baiser à « Kate », qui, objet sexuel et jouet politique, ne se soumet à l'Anglais que parce son père l'a sacrifiée à la raison d'État. La pièce se clôt donc sur le double triomphe, amoureux et militaire, d'Henry, mais l'Histoire en décidera autrement et conduira les deux royaumes au divorce, fournissant l'inspiration du *Henry VI* de Shakespeare.

Les difficultés de communication entre Henry et Catherine sont emblématiques d'une réalité ancienne :

1. Demandant à sa suivante la traduction anglaise des mots « robe » et « pied », Catherine s'offusque de ce qu'elle entend, Shakespeare jouant sur les sonorités de *gown* (que Catherine semble entendre « con ») et de *foot* (qui paraît lui suggérer « foutre »). Là encore, le registre de la sexualité est utilisé pour mettre en scène les relations entre les deux pays.

ces deux nations ne se sont jamais vraiment comprises. En dépit de siècles d'échanges belliqueux, culturels ou commerciaux, chacune continue à percevoir l'autre avec le même système d'idées reçues, les mêmes clichés. Est-ce d'ailleurs bien surprenant, étant donné tout ce qui les sépare ? L'Angleterre est germanique, insulaire, protestante, et dotée d'un sens bien pragmatique de la politique et des affaires. Sa voisine, à l'opposé, est latine, solidement ancrée dans un continent complexe, sa foi est ou était catholique et son esprit frondeur est peu enclin au compromis. Les deux pays composent l'un avec l'autre par nécessité et intérêt, mais demeurent une énigme l'un pour l'autre. Des cohortes de Gaulois s'installent à Londres, l'Anglois se réapproprie l'Aquitaine, mais Français et Anglais ne font que se croiser, vivant côte à côte sans vraiment cohabiter, se toisant du regard sans vraiment se parler. L'Entente cordiale n'empêche pas les malentendus.

Langue de Molière vs. langue de Shakespeare

LE COMTE : Premièrement, tu ne sais pas l'anglais.
FIGARO : Je sais God-dam.
LE COMTE : Je n'entends pas.
FIGARO : Je dis que je sais God-dam.
LE COMTE : Eh bien ?
FIGARO : Diable ! C'est une belle langue que l'anglais, il en faut peu pour aller loin. Avec God-dam en Angleterre, on ne manque de rien nulle part. Voulez-vous tâter d'un bon poulet gras ? Entrez dans une taverne, et faites seulement ce geste au garçon. (*Il tourne la broche.*) God-dam ! On vous apporte un pied de bœuf salé sans pain. C'est admirable ! Aimez-vous à boire un coup d'excellent bourgogne ou de clairet ? Rien que celui-ci. (*Il débouche une bouteille.*) God-dam ! On vous sert un pot de bière, en bel étain, la mousse aux bords. Quelle satisfaction ! Rencontrez-vous une de ces jolies personnes, qui vont trottant menu, les yeux baissés, coudes en arrière, et tortillant un peu des hanches ? Mettez mignardement tous les doigts unis sur la bouche. Ah ! God-dam ! Elle

> vous sangle un soufflet de crocheteur. Preuve qu'elle entend. Les Anglais, à la vérité, ajoutent par-ci, par-là quelques autres mots en conversant ; mais il est bien aisé de voir que God-dam est le fond de la langue ; et si Monseigneur n'a pas d'autre motif de me laisser en Espagne…
>
> J.-B. de Beaumarchais,
> *Le Mariage de Figaro*,
> Acte III, scène V

Pour l'immigré fraîchement débarqué de son Eurostar, le premier impératif est de maîtriser la langue locale. Pas une tâche facile lorsqu'on sait à quel point les Français, même les plus cultivés, sont médiocres dans leur pratique des langues étrangères.

Une étude récente menée par un institut de formation linguistique a montré que la connaissance de l'anglais qu'a notre population adulte est la pire d'Europe, et qu'elle continue à décliner, faisant risquer à notre pays une perte de compétitivité supplémentaire dans une économie mondialisée où l'anglais est la langue indiscutable du commerce et des affaires[1]. Cette même étude souligne pourtant que les moyens pédagogiques de la France n'ont rien de déficients. Étrange paradoxe que l'auteur explique par une exposition moindre de

1. EF English Proficiency Index, 2013. Ce classement place la France à la trente-cinquième place d'un panel de 60 pays et à la dernière dans l'Union européenne.

notre population à cette langue et une résistance culturelle nationale face à la suprématie toujours mal assumée de l'anglais, encore perçu comme une menace pour notre identité.

À leur manière, les Français expatriés participent à ce mouvement de défense de l'exception culturelle nationale. Une des formes les plus fréquentes de cette résistance est l'obstination avec laquelle nous conversons entre nous dans notre langue maternelle en présence d'étrangers qui ne la comprennent pas et font l'effort de parler anglais pour assurer un minimum de communication. Tant dans un contexte social que professionnel, les Français, lorsqu'ils sont mélangés avec d'autres nationalités, répugnent à parler entre eux en anglais dans l'intérêt collectif du groupe, alors que bien d'autres Européens se plient sans mauvaise grâce à cette contrainte qui fait partie de l'étiquette londonienne. À Rome, les Français ne veulent décidément pas faire comme les Romains, et semblent toujours croire que l'Europe en est restée à ce passé lointain où leur belle langue reliait les élites et véhiculait la culture.

Pourtant, le Gaulois de Londres fait preuve d'une connaissance honnête de la syntaxe anglaise et d'un vocabulaire, qui sans être riche, lui permet de survivre dans la ville et d'exercer un métier. En revanche, à moins d'avoir vécu très jeune en Angleterre et d'y avoir fréquenté ses établissements scolaires, acquérir l'accent britannique est quasiment tâche impossible. Rien n'est naturel dans cette langue d'origine germanique pour le Français élevé dans la latinité, ni le « h » aspiré (/h/ en phonétique), ni la prononciation saccadée, presque balbutiante, ni encore l'immense variété des phonèmes dont cette langue, bien plus difficile à pratiquer que l'on ne croit, émaille le discours de ses locuteurs.

Ces difficultés, beaucoup d'immigrés londoniens s'en moquent. Certains vont même jusqu'à exagérer leur accent français à outrance, massacrant à l'envi les règles les plus élémentaires de la prononciation anglaise et arborant fièrement la francité de leur accent, comme une revendication nationaliste. D'autres, comme l'auteur de ces lignes, souffrent en silence de leur accent, comme d'une tache de naissance indélébile. Je vis personnellement cet air gaulois qui travestit mon langage comme une infirmité, un handicap bien pire qu'un vice, parce qu'à la différence de nombreux défauts de l'âme, on peut difficilement dissimuler son vil accent. Il habille mes pensées et mes mots, il corrompt tout ce qui s'échappe de ma bouche, jusqu'à mes onomatopées et interjections les plus anodines.

Ce complexe n'est toutefois pas uniquement auto-infligé. Il est aussi largement le produit de la culture élitiste britannique qui accorde à l'accent une importance non négligeable dans l'échelle des valeurs sociales. L'accent est en effet un marqueur social profond en Angleterre. Il trahit l'origine géographique (y compris à une échelle très fine, au niveau d'un quartier de

Londres par exemple), sociale, voire les mœurs de l'individu : « Dis-moi comment tu prononces, et je te dirai qui tu es », pourrait dire la sagesse populaire.

Au sommet de la hiérarchie règne l'accent de l'establishment traditionnel, la *Received Prononciation*, parfois aussi appelé le *BBC English* ou *Queen's English*, sorte d'anglais ampoulé et hautain, affecté d'un très léger bégaiement, qu'en France nous qualifierions volontiers de snob, mais que nos voisins décrivent par l'épithète *posh*, mot difficilement traduisible dans notre langue, qui signifie tout à la fois chic, aristocratique et distingué, et qui est rarement utilisé à des fins péjoratives. Le système éducatif, plus que le sang familial, assure la bonne transmission de cette tournure de langage. Alors qu'en France l'école publique républicaine, en sus d'avoir fait reculer les dialectes régionaux, a certainement, depuis la IIIe République, contribué à raboter les différences d'accentuation entre les groupes sociaux et les régions, la *public school* britannique (tout le contraire de notre école publique, parce que privée et élitiste) a maintenu l'élite dans son ghetto linguistique en perpétuant un anglais empreint d'une musicalité et d'une tonalité différenciées, tenant le reste du peuple en respect grâce à la parole.

Alors que l'accent outre-Manche est signe extérieur de haute société, distinguant la *upper class* de la *middle class* et a fortiori de la *working class*, il ne remplit cette fonction que de manière secondaire ou anecdotique en France, où il trahira, dans la majorité des cas, plus un particularisme régional qu'une appartenance sociale précise. Le Parisien arrogant sourira du chant mélodieux d'un Méridional, il n'en éprouvera pas nécessairement un sentiment de condescendance aristocratique vis-à-vis de son locuteur.

Pour un Britannique, modifier, travailler son accent c'est aussi se donner les moyens de son ascension sociale. C'est toute l'histoire mise en scène dans le *Pygmalion* de G.-B. Shaw, écrit au début du siècle dernier et adapté de manière mémorable dans la comédie musicale et le film *My Fair Lady,* quelques décennies plus tard. Modeste vendeuse de rue s'exprimant dans un vilain accent cockney, Eliza Doolittle acquiert une respectabilité sociale et gagne un mariage dans la bonne société grâce à la pédagogie miracle du Pr. Higgins, phonéticien de renom, qui a fait le pari de pouvoir la faire passer pour une femme du monde. Grâce à l'aliénation forcée de son accent et de sa manière de parler, Eliza se débarrasse de son ignoble dialecte social et saute quelques échelons dans la hiérarchie sociale.

On remarquera à ce propos que l'une des caractéristiques les plus distinctives de l'anglais parlé avec un accent français est sa fâcheuse tendance à ne jamais aspirer le « h ». Or, il se trouve que ce phénomène, que les phonéticiens anglais appellent le */h/-dropping,* n'est pas socialement neutre en Grande-Bretagne, et est, depuis le XVIIIe siècle, associé par l'élite aux manières de parler des classes populaires, en particulier celles du londonien cockney. Pour les défenseurs de la prononciation officielle, laisser le /h/ de côté, c'est céder à un usage paresseux et inéduqué du langage, ce qui, en plus d'être phonétiquement coupable, est aussi socialement indésirable. Ce dialogue entre un Anglais et un Français dans *Our Mutual Friend* de Charles Dickens illustre pour le lecteur cette observation sociologique :

> « Marks, said Mr. Podsnap ; Signs, you know, Appearances – Traces.
> – Ah ! Of a Orse ? inquired the foreign gentleman.
> – We call it Horse, said Mr. Podsnap, with forbearance. *In England, Angleterre, England, We Aspirate the "H," and We Say Horse. Only our Lower Classes Say "Orse" !*
> – Pardon, said the foreign gentleman ; 'I am alwiz wrong[1] ! »

Hanté par cet indicible /h/ qui se dresse devant moi comme une barrière symbolique entre la langue de la civilisation et celle de la barbarie, je pèse et soupèse chacun de mes mots, entièrement concentré sur leur prononciation, et négligeant leur signification. Obsédé par cette idéale correction phonétique, j'amplifie exagérément mes /h/, et, me voulant plus royaliste que la reine, en rajoute parfois là où ils n'ont pas lieu

1. Passage non traduit à dessein, cité dans Ignacio Murillo Lopez, « The Social Status of /h/ in English », *Revista Alicantina de Estudios Ingleses*, n° 20, 2007, p. 157-166.

d'exister. Je ressemble de plus en plus, le charme de l'ingénuité en moins, à Eliza Doolittle dans *My Fair Lady*, qui s'exprime lors de sa première sortie mondaine dans son nouvel accent, emphatique et artificiel, et qui, l'esprit rivé sur la pureté de sa langue, ne se rend pas compte de l'absurdité de ses propos. Comme elle, afin de m'entraîner, je devrais sans doute répéter inlassablement, de jour comme de nuit, la même antienne climatologique :

> « In **H**ertford, **H**ereford and **H**ampshire **h**urricanes **h**ardly **e**ver **h**appen[1]. »

Nous comprenons mieux pourquoi, à la racine de ce complexe d'immigré, il y a donc sans doute l'intériorisation d'une stigmatisation sociale de l'accent déviant (c'est-à-dire s'écartant de la norme de l'establishment) très présente dans la culture de l'élite anglaise. Il y a aussi, et c'est peut-être pire encore, la croyance que ce qui se conçoit bien ne peut que se prononcer correctement. Des deux côtés de la Manche, les métaphores populaires associent accent non orthodoxe et carence intellectuelle. Qu'il soit à couper au couteau au sud, ou simplement épais au nord (*a thick accent*), l'accent étranger-étrange est la

1. *My Fair Lady*, comédie musicale en deux actes. Musique composée par F. Loewe, livret d'Alan Jay Lerner. Sa création date de 1956.

marque d'un esprit que l'on peut légitimement soupçonner de grossier (*a thick mind*). Comment un accent épais pourrait-il accompagner la communication d'une pensée fine et subtile ? Parler d'un fort accent, n'est-ce pas la preuve d'un embonpoint intellectuel ?

J'ajouterai que l'accent français – ou plutôt sa caricature – a longtemps été un sujet de farce pour nos amis d'outre-Manche. On se souviendra avec bonheur de l'anglais ridicule parlé par l'inspecteur Jacques Clouseau dans les onze versions de La *Panthère rose* interprétées par l'un des meilleurs acteurs britanniques de son temps, Peter Sellers. Moins connue en France, mais culte en Angleterre fut *Allo, Allo !*, une série diffusée par la BBC entre 1982 et 1992. Cette sitcom raconte les péripéties d'une famille de résistants de la Somme sous l'Occupation, son principal ressort comique étant l'accent anglais burlesque dans lequel les protagonistes « français » de la série s'expriment, régulièrement source de malentendus grivois. Il faut dire que ces gentilles moqueries dont est régulièrement l'objet l'accent français sont souvent l'occasion pour les Anglais de recycler certains clichés sur les mœurs du Gaulois, que l'on sait coquin, libertin et jurant comme un charretier. Les anglophones, qui se régalent de ces stéréotypes, aiment rappeler nos mis-prononciations les plus fréquentes, comme celles du « i » long ou celle du « h » aspiré, qui créent des délectables détournements de sens sur des mots tels que *sheet* (que le Français prononcera parfois « *shit* »), *ou happiness (*prononcé « *appiness* », qui pourrait être compris comme « a penis »*).*

Pataudes, grossières, grotesques, les fautes de prononciation imputées aux Français inspirent sans doute une tendre sympathie, à défaut de respect, à nos camarades. Mais qui a envie d'être sympathique si c'est pour être tourné en ridicule ? L'immigré préférerait mille fois être pris au sérieux, quitte à perdre un peu de cette affection condescendante que son accent lui attire.

Écrivant en connaissance de cause, la bonhomie attachante souvent associée à l'accent français peut s'avérer un handicap pour le financier qui a besoin d'asseoir sa crédibilité professionnelle sur des symboles signalant le sérieux et l'importance de sa fonction. Un banquier ne peut pas se permettre de faire rire ni même de faire sourire ses interlocuteurs. Si, de nos jours, il inspire rarement de la confiance, il doit sinon inspirer un certain respect, du moins projeter l'image d'un individu ayant le contrôle absolu de sa manière d'être au monde. Son nœud de cravate doit être serré au millimètre près, son vocabulaire ultra-précis, sa parole doit être lapidaire et cinglante, son discours une succession d'assertions excluant le doute ou la nuance et bannissant la digression. Parce qu'il enrobe la parole et en affecte la puissance de frappe rhétorique, un accent qui serait perçu comme lourd ou maladroit peut malheureusement fissurer voire faire s'effondrer cette belle façade. Un article du *Financial Times* décrivait en ces termes Fabrice

Tourre, le fameux *Fabulous Fab* poursuivi par la SEC pour avoir prétendument trompé ses clients alors qu'il travaillait pour Goldman Sachs :

> « Lorsqu'il comparut au tribunal à Manhattan cette semaine, M. Tourre semblait une icône improbable de ces banquiers nourris à la testostérone et perçus comme étant responsables de la crise. Il est de petite taille, parle avec un fort accent français et fait de grands gestes théâtraux de la main. Lors du premier jour d'audience, il paraissait nerveux et renversa une bonbonne d'eau alors qu'il compulsait un épais volume de pièces judiciaires[1]. »

Cette vénérable publication, par ailleurs pleine de pitié pour cet anti-héros français qu'elle considère, sans doute à juste titre, comme un bouc émissaire, dépeint *Fabulous Fab* davantage comme un acteur burlesque qu'un golden boy, une sorte de Mr. Bean de Wall Street. Les erreurs de prononciation de Fabrice Tourre auront peut-être suscité quelque indulgence chez les jurés, ou du moins cette empathie dont on fait parfois preuve envers les infirmes, mais elles n'auront pas aidé à lui bâtir une image de financier redoutable.

Que faire, donc ? Comment me dépouiller de cette difformité du verbe à laquelle je reproche – à tort ou à raison – de handicaper ma vie sociale et

1. « Fab fights the demon banker tag », *Financial Times*, 27 juillet 2013.

professionnelle ? Si plus d'une décennie d'expatriation n'y a rien fait, peut-être devrais-je partir à la recherche de mon propre Pygmalion ? Mais qui voudra investir du temps et du talent pour m'aider à corriger mon anglais ? Rongé par ce complexe, j'ai donc surfé sur la Toile pour trouver des solutions, prêt à acquérir n'importe quel remède et à me livrer au premier charlatan venu. J'ai ainsi découvert qu'il existait des individus et des sociétés spécialisés qui fournissent des cours de « réduction d'accent », particulièrement destinés à une clientèle d'étrangers, si nombreuse à Londres, et sans cesse renouvelée. Pour 295 livres et quinze heures de cours collectifs, l'un d'entre eux propose ainsi de « changer les mouvements des muscles de la parole » qui n'ont jusque-là été habitués qu'à se mouvoir pour « articuler notre langue maternelle ». Bref, c'est une rééducation physique du palais qui est ici requise, une opération de chirurgie esthétique du discours. C'est trop d'efforts pour moi, la gymnastique n'ayant jamais été ma matière forte. Je préfère rester français jusqu'au bout de la langue.

S'il ne parvient pas à en acquérir l'accent, l'immigré français a moins de peine à assimiler les mots de la langue anglaise. L'étude du franglais pratiqué par le financier-immigré de Londres serait par exemple un terrain très fertile pour la sociolinguistique. Par un mécanisme de formation semblable à celui du *spanglish* créé par la communauté *latina* des États-Unis, qui a hispanisé de nombreux mots anglais de la vie quotidienne, le dialecte de l'immigré professionnel londonien est un sabir indigeste qui incorpore des éléments de jargon professionnel et des idiotismes anglo-saxons, et fait rire le Français de France et pleurer les défenseurs de notre belle langue.

Comme les autres métiers, la Finance dispose aussi d'un langage technique qui lui est propre et qui est majoritairement anglo-saxon, ce qui n'a rien de très surprenant, étant donné que l'essentiel de son exercice, de ses innovations et de son évolution se produit à Londres et New York. Même si on peut le déplorer, il ne faut pas s'étonner que nos Français de Londres jargonnent dans cette langue, sans laquelle ils ne pourraient pas se faire comprendre de leurs collègues étrangers. Tout au plus peut-on regretter qu'ils ne substituent pas à cet anglais financier son équivalent français lorsqu'ils communiquent entre eux ou à Paris, mais on comprendra que la facilité de l'anglais est difficilement résistible, et que l'usage du français pour certains concepts financiers techniques semblera dans bien des cas artificiel voire pédant, tant il est devenu marginal. Avec ses ellipses, ses acronymes et ses expressions lapidaires, l'anglais s'impose au professionnel impatient et soucieux de concision. Une IPO ne peut vraiment se traduire que par « introduction en Bourse », et un LBO que par « acquisition avec effet de levier ». Passer au français tend souvent à alourdir et encombrer le discours du financier qui n'aime point s'embarrasser d'expressions alambiquées. Le voudrait-il qu'il ne le pourrait que dans un nombre limité de situations, parce que, y compris lorsque des opérations financières touchent des sociétés ou des institutions françaises, il est relativement peu fréquent que les Français ne parlent qu'aux Français. À partir d'un certain volume d'affaires, des acteurs internationaux – conseils, investisseurs ou autres – interviennent dans la transaction, et la raison de la langue la plus forte l'emporte alors de nouveau.

Le vocabulaire du franglais londonien est néanmoins d'une richesse qui dépasse largement les limites du seul lexique financier. S'y côtoient des barbarismes comme « updater » (mettre à jour), « driver » (mener à bien, diriger), « checker » (vérifier), ou les inévitables « cela fait du sens » et pire, « consistant », anglicisme abondamment employé pour signifier « constant » ou « cohérent ». En vertu d'un processus qui relève plus de la déculturation que de l'acculturation, le Français de Londres perd le français que des années d'études lui ont fait péniblement acquérir, et ce faisant ne parle plus aucune langue correctement. Il en a d'ailleurs une conscience douloureuse, se plaignant souvent de ne plus savoir parler français, et constatant amèrement les ravages qu'une immersion prolongée en Angleterre a produits sur sa capacité à pratiquer sa langue maternelle. Telle est la précarité culturelle de l'immigré : objet de ridicule pour ses concitoyens, sa langue natale viciée l'éloigne de sa patrie d'origine, sans qu'il acquière pour autant des aptitudes linguistiques qui lui garantiraient une intégration culturelle achevée dans son pays d'adoption.

Ce déracinement ne pourrait être que provisoire. Avec un peu d'imagination, et surtout un peu de fantaisie, on pourrait prophétiser qu'à côté du français et de l'anglais officiels, une forme plus achevée de ce franglais londonien se mue dans les prochaines décennies en un dialecte à part entière, parlé couramment dans les cours et couloirs du lycée français, dans les réunions d'expatriés ou dans les bureaux du consulat. Une communauté française faisant souche en Angleterre, se renouvelant non plus par la seule immigration mais aussi par accroissement naturel, ne pourrait-elle pas donner naissance à une nouvelle langue, une sorte de créole franco-londonien ? Que celle-ci devienne un sous-ensemble à part entière de l'anglais, au même titre que le cockney ou le jafaican, ce sociolecte en plein essor dans les quartiers populaires de Londres[1], ou qu'elle évolue plutôt en un patois français d'outre-Manche dépendra sans doute de la propension relative

1. Le jafaican, littéralement « pseudo-jamaïcain », baptisé par les universitaires *Multicultural London English* se substituerait progressivement au traditionnel cockney de l'East End au sein des jeunes générations londoniennes, qui subiraient l'influence des langues de communautés immigrées telles l'anglo-jamaïcain, les langues d'Asie du Sud ou d'Afrique subsaharienne.

des Français d'Angleterre à se résigner ou résister à l'assimilation, ce que seul l'avenir pourra nous dire.

On l'aura compris, malgré un séjour linguistique de treize ans, je ne sais toujours pas parler anglais correctement. Que la plupart des Français de Londres se rassurent toutefois : si nos compatriotes ne sont pas les premiers de la classe en anglais, et si la bouffonnerie de leur accent réjouit l'Angleterre, qu'ils n'oublient pas que les Britanniques, eux, ne parlent guère d'autres langues que la leur, peu incités qu'ils sont à progresser dans ce domaine tant leur idiome est devenu devise linguistique du commerce international. Alors que la vache espagnole de l'Europe s'avère en réalité française, l'Angleterre est le cancre universel montré du doigt par tous les classements européens de compétences linguistiques[1]. Certes, 15 % des Anglais déclarent pouvoir mener une conversation en français, mais ce genre de sondage est notoirement peu fiable. On le sait, dans un CV, la rubrique des langues étrangères est souvent la plus portée à l'exagération. J'ai toujours écrit dans le mien que j'étais capable de parler de la pluie et du beau temps en espagnol, comme si c'était d'une quelconque utilité pour mes employeurs, alors que, mis à l'épreuve, je franchis

1. « Languages for the future », étude signée par le British Council, 2013.

difficilement le cap des présentations. La langue est un organe bien délicat autant qu'un sujet sensible : personne n'aime avouer être incompétent dans ce domaine après des années entières d'apprentissage scolaire et universitaire. Je suis d'ailleurs toujours très surpris d'observer ces jeunes Anglais qui continuent à indiquer dans leur CV qu'ils savent communiquer en français, en allemand ou en espagnol, alors que leur niveau n'offre dans une grande majorité de cas aucune valeur professionnelle. Dans cette Londres cosmopolite, la probabilité qu'ils se retrouvent dans un entretien face à un individu de cette nationalité étant relativement élevée, pourquoi prendre un tel risque d'humiliation ? Mon épouse me racontait ainsi qu'une candidate à un emploi dans son entreprise – par ailleurs fort brillante et diplômée d'Oxford –, ayant commis l'imprudence d'inscrire dans son CV qu'elle parlait français et ayant eu vent par la suite qu'elle serait interviewée par une de nos compatriotes, avait pris d'urgence des cours intensifs de français pour pouvoir répondre de la manière la plus naturelle du monde aux questions éventuelles. Elle avoua ce fait amusant deux années plus tard alors qu'il était devenu clair que son français, réel ou imaginaire, n'aurait eu de toute façon que peu d'utilité dans une entreprise, pourtant l'un des fleurons de l'économie britannique, où nous sommes à peu près aussi nombreux que les Anglais.

L'on rencontre assez régulièrement à Londres des Britanniques sortis d'Oxbridge qui ont étudié le français à un haut niveau à l'université, parfois comme matière principale. Il est cependant quasiment impossible de leur faire parler notre langue, soit parce qu'ils regimbent à l'idée de communiquer autrement qu'en anglais dans leur pays, soit, on peut légitimement le soupçonner sans être taxé de mauvais esprit, parce qu'ils sont simplement incapables de le faire. Au risque de caricaturer quelque peu la réalité, l'on pourrait dire qu'à l'université, un grand nombre d'Anglais étudient le français comme ils étudieraient le latin, comme une langue morte, que l'on apprend à déchiffrer, traduire et apprivoiser pour la formation analytique qu'elle dispense et le bénéfice culturel qu'elle procure, mais non en vue de la pratiquer comme une langue vivante, outil nécessaire dans l'exercice d'un métier et le développement d'une carrière.

David Cameron aura beau, comme dans l'une de ses petites piques publiques destinées à flatter les éléments eurosceptiques de son parti, déclarer que les jeunes générations de son pays devraient abandonner le français et l'allemand au profit du mandarin[1], il y a fort à parier que ses ambitions resteront insatisfaites pendant longtemps. Si ses compatriotes ont déjà du mal à s'exprimer dans la langue de leurs voisins, on voit mal comment ils pourront exceller dans une langue aussi exotique que

1. Kiran Stacey et Helen Warrell, « David Cameron urges schools to teach Mandarin », *Financial Times*, 4 décembre 2013.

le chinois. Ces commentaires venant d'un chef de gouvernement sont d'autant plus surprenants que le français a été identifié par son administration comme l'une des langues les plus pertinentes pour la population active britannique[1], reconnaissant les relations étroites de leur pays avec la France, deuxième destination pour ses exportations et ses touristes. Le parti pris de Cameron ignore également les inclinations de ses propres concitoyens, qui continuent à choisir le français comme première langue d'enseignement dans leur système scolaire et comme deuxième option dans leurs cours du soir, après l'espagnol[2].

Le Britannique (comme d'ailleurs la plupart des anglophones de naissance) se trouve ainsi dans une situation quelque peu paradoxale : le monde entier le comprend, mais lui, en revanche, ne le comprend pas. Cette asymétrie linguistique est une possible source d'inégalités et de déséquilibres dans le grand jeu des relations internationales. Dans cette dialectique de l'unilingue et du polyglotte, l'anglophone pur risque d'être à la merci de celui qui détient les clés de la traduction, même si sa langue maternelle est dominante. Pour revenir à la vilaine manie française déjà mentionnée, personne ne gagne à être assis à une table où vos

1. « Languages for the future », étude signée par le British Council, 2013.

2. *Ibid.*

interlocuteurs s'adressent à vous dans votre langue lorsqu'ils veulent communiquer, mais s'entretiennent entre eux dans une langue qui vous est étrangère lorsqu'ils veulent vous exclure de la conversation.

La valeur de marché de l'immigré français de Londres se trouve, elle, renforcée par l'incurie linguistique de ses hôtes, dont les liens commerciaux, culturels et diplomatiques avec la France sont beaucoup plus nombreux que ce que le discours de Cameron voudrait nous faire entendre. Un sondage de 2012, réalisé par la CBI (l'équivalent de notre Medef) auprès de dirigeants d'entreprises britanniques, signalait que la connaissance du français était, à parité avec celle de l'allemand, considérée comme la compétence linguistique la plus utile à leur organisation[1]. Notre immigré sait que son pays d'accueil aura toujours besoin de lui pour jouer l'interprète et établir des ponts sur la Manche et peut par conséquent se targuer d'un avenir prometteur en Grande-Bretagne.

---

1. « Learning to grow, what employers need from education and skills », étude de la CBI, 2012.

Home Sweet Home

« La maison d'un Anglais est pour lui comme son château. »

Sir Edward Coke (1552-1634)

S'il y a bien un domaine où le libéralisme, dont l'Angleterre est le berceau, est le plus scrupuleusement appliqué à Londres, c'est celui de l'immobilier résidentiel. La dure loi du marché y règne en maître, et l'offre et la demande se courent après en permanence, dans une surenchère frénétique et parfois irrationnelle.

Il est assez aisé pour l'immigré de trouver un logement à louer. Le marché y est si fluide, si transparent, que l'on pourrait le comparer à la Bourse. Les agences immobilières, nombreuses et indifférenciées, s'y livrent une concurrence acharnée, jouant le rôle pourtant utile de *market maker*, louant et relouant les mêmes *2-bedroom flats*, les mêmes boîtes à chaussures, désertées aussi vite que réoccupées, grâce à l'incessant va-et-vient de la jeune population immigrée des beaux quartiers de la ville. Les loyers, qui ne souffrent d'aucune réglementation, sont aussi volatils que les cotations boursières et suivent de près les hauts et les bas conjoncturels de la City. Quand cette dernière traverse une phase d'expansion effrénée, comme en 1999-2000 ou en 2005-2007, la rente immobilière progresse alors rapidement, avec des taux de croissance à deux chiffres. Quand elle connaît une de ses (hélas si fréquentes) phases de contraction, avec licenciements massifs et coupes claires dans les bonus, comme en 2002-2003 ou en 2008-2009, les loyers plongent à leur tour. Les résidents-migrants mettent alors à profit les talents de négociateurs qu'ils ont acquis dans leur vie professionnelle pour marchander des ristournes importantes auprès de leur propriétaire, et tenter de récupérer par ce biais une parcelle de leur rémunération perdue.

Lorsqu'il arrive frais émoulu de ses études, le jeune diplômé français, qui s'installe à Londres pour y débuter une carrière dans la finance, déchante rapidement, son enthousiasme des débuts cédant progressivement la place au cynisme désabusé de l'immigré déniaisé. Il se voyait déjà golden boy, as de la finance, vautré dans une vie de luxe et de stupre avant ses trente ans, mais le voilà contraint de partager un logement précaire avec d'autres migrants, et de sacrifier à son propriétaire, l'intraitable *landlord* londonien, une part non négligeable de ses émoluments. À moins de s'exiler au sud de la Tamise ou aux confins est et ouest de la ville, loin des lieux de sociabilité qu'il aime hanter et à l'écart de sa communauté ethnique, l'immigré ne peut se permettre de vivre seul dans la garçonnière douillette de son choix. Un deux-pièces étriqué de 40 m^2, avec une maigre chambre et un petit salon, coûte à South Kensington environ 1 500 à 2 000 livres par mois, en fonction de l'état du bien et du prestige de l'adresse. Dans un tel marché, la seule décision économique rationnelle est de ravaler son désir individualiste de confort bourgeois et d'entrer dans cet étrange kolkhoze résidentiel qu'est la colocation.

Le jeune immigré professionnel vit donc en location collective, à proximité d'autrui et en pleine promiscuité, et s'entassera volontiers dans un appartement de Chelsea, Kensington ou Marylebone, là où la pression de la vie chère est la plus forte et où il sera le plus susceptible d'y voir s'éroder son pouvoir d'achat, pourtant très honorable. Situation transitoire, parce que s'il est facile de dénicher un appartement à louer, il est tout aussi facile d'en être délogé par son propriétaire, auquel la loi britannique accorde beaucoup plus de flexibilité qu'en France. Il n'est pas rare de voir de jeunes banquiers changer de logement cinq à six fois au cours de leurs trois premières années à Londres, nouant, dénouant et renouant de nouvelles amitiés au gré des « colocs ». Quelle singulière ironie d'observer ces jeunes apprentis-financiers, si grassement rémunérés, mener cette existence précaire de nomade intra-urbain, sautillant d'une cage à lapin de luxe à l'autre, sans véritable domicile fixe !

Si l'immigré français se sédentarise et s'embourgeoise et qu'il réussit à se constituer un pécule adéquat, il pourra éventuellement se rêver propriétaire. Ce changement d'état est très naturel pour l'Anglais. Plus encore que la France, et en dépit de la dernière crise immobilière qui la toucha plus durement qu'outre-Manche, la Grande-Bretagne est une nation de propriétaires et le jeune Anglais issu de la *middle class* accède très tôt à ce statut. Sortant souvent de ses études endetté, il n'est pas rare qu'il acquière son premier logement avant ses vingt-cinq ans, s'offrant un studio ou un deux-pièces à crédit. Le Français de Londres, s'il saute le pas, le fait souvent plus tard, au cours de sa trentaine, ayant recours lui aussi aux joies ambiguës du crédit hypothécaire.

Il faut reconnaître que pour l'immigré acquérir un logement à Londres requiert un peu d'expérience. Il faut d'abord décoder la rhétorique de l'agent immobilier. Nul besoin d'un doctorat en langue de bois pour cela : le candidat à la propriété comprend rapidement qu'un quartier qualifié plein d'avenir (*up-and-coming)* a toutes les chances d'être mal fréquenté, qu'une maison charmante (*charming)* sera probablement très étroite, qu'un appartement non modernisé (*unmodernised)* s'avérera complètement délabré, qu'une rue vibrante (*buzzing, vibrant)* se révélera bruyante et polluée, qu'une *maisonnette* n'est pas (encore un faux-ami) une petite maison, mais un simple appartement, et qu'un jardin en patio (*garden patio)* se réduira sans doute à une petite cour intérieure sombre et humide. L'inflation des épithètes accompagne et alimente celle des prix de l'immobilier, et l'agent est le grand enchérisseur de ce négoce de la pierre, une sorte d'alchimiste urbain qui sait transformer la brique en or et le taudis en palais.

Pouvoir acquérir une maison n'offre aucune garantie de succès. Aux yeux de l'agent, l'acheteur le plus crédible est paradoxalement celui qui n'a besoin d'aucun crédit, le *cash buyer*, qui peut régler rubis sur l'ongle. Même lorsqu'il s'est mis d'accord avec le vendeur sur un prix, l'immigré qui a besoin d'emprunter prend le risque du *gazumping*, procédé par lequel le propriétaire du bien le cède au dernier moment à un mieux-disant providentiel. Pas de *gentleman's agreement* dans le marché immobilier. Tout comme les images et écrits flatteurs des prospectus d'agence, la parole donnée des vendeurs n'a la valeur que celle que l'on a la naïveté de lui accorder, et l'immigré l'apprend souvent à ses dépens.

On ne saurait trop insister sur l'importance que revêt l'immobilier pour les Britanniques. Pour un pays qui a financé les aventures commerciales et coloniales les plus risquées, qui a favorisé l'émergence et le développement de l'abstraite industrie de la finance, le parangon de l'investissement demeure le très banal *real estate,* c'est-à-dire un patrimoine « réel », concret et tangible, solidement ancré au sol, insusceptible d'être annihilé par cet économie de papier qu'est le capitalisme financier. Si posséder son logement a une vertu presque ontologique pour l'Anglais (« Je suis propriétaire de ma maison, donc je suis », pourrait-il dire), encore plus important pour lui sera le prix de ce logement, qui résumera aux yeux des voisins son statut socioéconomique ou son degré de réussite matérielle. Dans la presse sérieuse et moins sérieuse, chaque fois qu'il est fait mention de la maison d'un héros de fait divers ou d'une personnalité quelconque, la valeur estimée du bien est quasi-systématiquement précisée. En voici quelques exemples éloquents :

> « Mrs Shearman, une grand-mère de cinq enfants, fut retrouvée morte par ses voisins, après qu'un chauffeur de taxi, qui était venu sur rendez-vous jusqu'à sa maison à 500 000 livres, voyant que ses appels restaient sans réponse, contacta les voisins qui entrèrent chez elle[1]. »

Ou encore :

> « Le décès suspect de la fille d'un courtier en bourse britannique dans un hôtel bon marché de Bangkok était hier l'objet d'une enquête de la police thaïlandaise (...).

1. Lindsay Watling et John Dunne, « Widow killed by man in pinstripes was bound, gagged and then stabbed », *London Evening Standard*, 7 septembre 2013.

> Bouleversés, les parents de Jayne (...) attendaient toujours dans leur maison à 400 000 livres, située dans le village de Kencot dans l'Oxfordshire, près de Lechlade, la confirmation du décès de leur fille par le Foreign Office[1]. »

L'on admettra que ces commentaires dignes d'un agent immobilier apportent peu au contenu de ces articles, hormis un certain voyeurisme financier, qui pimente le fait divers, permet de localiser socialement la victime, et fait frémir le lecteur bourgeois à l'évocation d'un crime visant son semblable. Ils témoignent surtout de la manie obsessionnelle des Britanniques pour la valeur de leur maison, ou, plus souvent, pour celle de la maison d'autrui. Après être venu me chercher à domicile, un chauffeur de *black cab* m'a demandé récemment combien valait mon logement, avant de me dévoiler, sans y être invité, le prix de sa maison dans l'Essex et me décrire en détail les plans, la disposition et la superficie de chaque pièce, les dimensions de son jardin, et, élément important pour son métier, celles de son garage. J'imagine assez mal avoir une conversation de ce type avec un chauffeur de taxi parisien. Elle briserait trop d'interdits et pourrait s'avérer risquée pour celui qui l'initierait...

Si la maîtrise de la langue et l'éducation secondaire permettent de jauger la situation d'un individu dans le

---

1. « Second British backpack girl feared murdered in Thai hotel », *Daily Mail*, avril 2012.

système de classes traditionnel, un système par ailleurs culturel plus que patrimonial, le prix de son logement permet d'identifier sa place dans l'échelle des fortunes et de mesurer d'un chiffre son bien-être matériel. C'est dans ce contexte culturel qu'il faut appréhender le débat politique actuel sur la taxation de l'immobilier. Alors que le Royaume-Uni ne dispose pas dans son arsenal fiscal d'équivalent de notre impôt de solidarité sur la fortune, le Parti travailliste et les libéraux-démocrates ont proposé ou évoqué la création d'une *mansion tax*, littéralement un impôt sur la demeure de luxe, qui serait prélevée annuellement auprès des propriétaires de logements au-delà d'une certaine valeur. Pour les partisans de cet impôt, taxer la résidence principale, c'est taxer un élément de patrimoine qui peut difficilement se délocaliser et échapper au fisc, mais c'est aussi s'attaquer à un symbole de richesse dont la portée culturelle est considérable, qui se trouve au cœur des représentations sociales de la société britannique.

Pour beaucoup d'Anglais citadins, le chez-soi idéal demeure la maison individuelle, unité d'habitation de base, où ils peuvent rester seigneur des lieux, *lord of the manor*, et cultiver leur jardin de curé. Le Britannique de la City n'hésitera pas à se déporter vers la périphérie londonienne pour disposer de sa propre maison, plutôt que de résider dans un quartier central où il sera peut-être contraint de vivre en appartement. Faut-il y voir le produit d'une culture plus individualiste de l'habitat, là où le Français sera plus prompt à vivre dans la semi-communauté qu'est l'immeuble collectif ? Peut-être. Reste que le paysage londonien a été profondément marqué par cette prééminence architecturale de la maison. Absente de la City, cœur historique de la ville hérissé de grands immeubles ou autres gratte-ciel construits à différentes époques, elle fait timidement son apparition dans les quartiers immédiatement périphériques de l'East End, comme Angel ou Islington, et du West End (Mayfair), pour triompher tout à fait au-delà. La maison victorienne en briques, construite sur trois ou quatre niveaux, juxtaposée aux autres en façade monotone et continue le long d'une rue ou d'une place (*terraced house*), ou disposée en paires siamoises (*semi-detached house*), est le visage architectural le plus familier de l'ouest de Londres. Dans la plupart des cas, elle est plutôt basse et ramassée, exhibant timidement sur la rue une façade lisse et sans fioritures de brique brunâtre, parfois recouverte d'un simple enduit blanc en stuc. Ailleurs, dans certains îlots privilégiés, elle a plus fière allure, s'affranchit du mur de ses voisines dans un acte de noble indépendance (*detached house*), gagne en largeur et en lumière avec l'ajout d'une fenêtre (*double-fronted house*), suggérant à l'aide de colonnes ou de frontons néoclassiques l'opulence de son intérieur ou la richesse de son occupant.

N'idéalisons pas trop la demeure londonienne. Le logement, de facture médiocre, y compris dans les quartiers les plus privilégiés, y est onéreux et exigu. L'espace résidentiel est un produit de luxe. Avec des prix qui dépassent aisément les 15 000 livres au mètre carré dans les beaux quartiers du Central London, et qui subissent depuis de nombreuses années une inflation galopante et à peine interrompue par la crise financière, l'espace intérieur est un bien rare qu'il convient de ménager et d'optimiser. À la confortable vie horizontale des appartements de Paris intra-muros, Londres substitue bien souvent une expérience verticale de la vie domestique, où changer de pièce signifie monter ou descendre d'un étage. De plus, pour ceux qui en auraient les moyens, améliorer son logement en faisant construire des étages supérieurs, des vérandas ou autres extensions est dans de nombreux cas pratiquement impossible. Peut-être traumatisée par les bombardements intenses du *Blitz* qui ont défiguré la ville et laissé des ruines mal colmatées par de sinistres constructions en briques dans les années cinquante-soixante, les gouvernements nationaux ou locaux ont décidé de figer l'architecture londonienne, ne donnant que très parcimonieusement des autorisations de travaux et classant en monument historique n'importe quel édifice d'avant la Première Guerre mondiale. Avec de telles contraintes réglementaires, la solution pour les propriétaires consiste alors souvent à creuser dans le roc urbain pour s'étendre vers le bas, en y ajoutant, un, deux voire trois étages. Dans la majorité des cas, le propriétaire adjoint simplement un étage en sous-sol (*basement)*, appelé par les agents immobiliers un « rez-de-chaussée inférieur » (*lower ground floor*), qu'en France on utiliserait comme cave ou oubliettes, mais qui à Londres a valeur d'habitat humain et peut se louer ou se vendre à des prix qui n'ont rien de dérisoire. Quelquefois, des travaux extravagants donnent naissance à ces fameuses *iceberg houses*, dont la partie émergée ne représente qu'une fraction de la surface souterraine, nécessitant l'usage de techniques d'exploitation minière à grande profondeur. Le propriétaire d'une vaste demeure de Walton Street, près de Knightsbridge, prévoyait ainsi, en 2012, de tripler la taille de sa maison en y logeant sous terre des pièces aussi indispensables qu'une piscine intérieure, une salle de bal, un sauna, une salle de massage et quinze nouvelles chambres[1].

Cette privatisation du sous-sol urbain, très en vogue à Chelsea ou à Notting Hill, donne un aperçu du Londres résidentiel du futur, une capitale non pas suspendue ou aérienne comme les films de science-fiction projettent parfois les métropoles de demain, mais une ville troglodytique, où les plus aisés s'enterreront dans l'argile londonienne. Étrange paradoxe que cette ville sans lumière qui s'enfonce sous terre et s'entasse dans

1. O. Wainwright, « Billionaires' basements : the luxury bunkers making holes in London streets », *The Guardian*, 9 novembre 2012.

ses *basements*, alors que la logique eût dû la conduire à s'élever pour se rapprocher d'un soleil trop fugace.

Une ville courte sur pattes, à moitié enfouie, mais aussi une ville qui nourrit des rêves de Babel. Jusque-là regardée de haut par le dôme de la cathédrale St. Paul, Londres a commencé à s'élever dans les années quatre-vingt-dix avec le développement du quartier d'affaires de Canary Wharf sur des quais portuaires en friche. Heureusement pour le paysage urbain, ce village de tours et de bureaux restait cantonné dans la périphérie, niché dans un lobe de la Tamise, à l'abri des regards délicats du centre-ville. Depuis une dizaine d'années cependant, les gratte-ciel ont commencé à pousser ici et là, particulièrement le long du fleuve et à l'est de la ville, affublés de sobriquets ménagers et familiers tels le Cornichon, le Toboggan, la Râpe à fromage ou le Tesson de verre, qui composent un inventaire domestique décalé atténuant l'audace et l'ampleur monumentale de l'architecture. Est-ce la réalisation de la prophétie que Paul Morand avait faite, il y a presque un siècle ? N'avait-il pas prédit qu'à la suite de Chicago et de New York, la capitale britannique, ville « basse », allait « s'élever, grâce à l'acier et au béton armé » ? Ces grands travaux menés sans planification urbaine cohérente ont dans la plupart des cas vocation à accueillir des bureaux, même si de nouveaux projets sont destinés à abriter des logements, et sont surtout loin de faire l'unanimité auprès de la critique et du public, qui grincent des dents à l'idée que leur ville puisse perdre sa signature victorienne et céder à un esprit de démesure si contraire à leur culture de l'euphémisme. Londres préférerait mille fois garder les pieds sur terre plutôt que de participer à une compétition phallique avec Dubaï, Shanghaï ou Taïpei.

Parisien de naissance, j'ai passé ma jeunesse dans un environnement fortement urbain, marqué par la pompe bourgeoise de la pierre de taille haussmannienne, égayée ici et là par une nature rare, domestiquée et cantonnée dans les parcs publics de la ville. Londonien d'adoption, j'ai découvert une expérience citadine d'un autre genre. En de nombreux endroits, au lieu d'y avoir refoulé la nature, la ville l'a laissé s'épanouir, dans les jardins individuels, dans les innombrables parcs publics, dans la glycine mauve qui ronge et déforme les façades, et dans les platanes qui surplombent les habitations. Cette nature fleurit jusque dans la toponymie, où *gardens*, *parks*, *greens* et *groves* viennent colorer la grisaille routinière des *streets* et des *roads*, et adoucir la géométrie répétitive dessinée par ces lotissements disposés en demicercle (*crescent*) ou en quadrilatère (*square*), autour de jardins communaux (*communal gardens*).

Ce sont précisément dans ces derniers que la nature londonienne trouve sa plus belle expression. Aménagés dans le cadre de la croissance multiséculaire de la ville, ils constituent autant de buttes témoins du passé rural de la capitale et introduisent une discontinuité bienvenue dans le tissu urbain. Dans certains cas, cet espace vert est un simple jardin public, dont la gestion économe et pas toujours très soigneuse revient au *Borough*, c'est-à-dire à l'administration municipale. Il est alors ouvert à tous, dévoilant une pelouse pelée et quelques vieux arbres fatigués, ne pouvant rivaliser avec l'attrait des grands parcs publics tels Hyde Park et Regent's Park, qui absorbent l'essentiel de l'alpage urbain des beaux jours. Dans de nombreux autres cas, en revanche, l'usage de ce précieux espace, qui peut facilement s'étendre sur deux ou trois hectares, est restreint à une petite collectivité privée, celle d'un *square*, d'un bloc résidentiel ou d'un quartier entier, et appartient alors soit aux propriétaires résidents des alentours, soit à la foncière ou à la famille détentrice du terrain. Là où le jardin public s'apparente au *pub*, le *communal garden* privé relève plus du *club*, à la fois collectif et exclusif. Il n'est pas offert à la seule jouissance d'un ménage ou d'une maison, mais à celle d'un groupe de citadins privilégiés, qui cotisent pour son entretien et se plient à des règles strictes et précises, parfois tatillonnes jusqu'à l'absurde, sur le code vestimentaire, les jeux autorisés ou prohibés, la cueillette des plantes et fleurs, la défécation des animaux de compagnie, la possibilité d'y inviter des personnes non-membres, exactement comme un *gentleman's club* du quartier de St. James réglementerait l'accès et les mœurs à l'intérieur de ses murs. Sur Cadogan Place, qui est au jardin communal ce que le Claridge's est à l'hôtel, l'agencement du parc a été conçu selon une ségrégation spatiale stricte, définie autour de trois sections rigoureusement séparées : la première réservée aux adultes, la deuxième aux enfants et la troisième aux animaux de compagnie, tout aussi étendue que les deux précédentes, ornée de statues et de topiaires comme un jardin à la française et dotée d'un système sophistiqué d'évacuation des excréments. C'est officiellement par mesure d'hygiène que cette division de l'espace en trois ordres – ceux qui lisent, ceux qui jouent et ceux qui défèquent – a été imaginée, afin d'éviter que les enfants perturbent la conversation ou la lecture des grandes personnes, et d'éloigner l'activité biologique des bêtes. Certes. Connaissant l'amour immodéré que les Anglais vouent à leurs chiens et chats, si visible à Londres où les monuments dédiés aux animaux de guerre ou de labeur sont une marque familière du paysage urbain, je ne peux m'empêcher de penser qu'en réalité ce n'est pas pour les garder en quarantaine que cet espace vert a été imaginé mais pour leur consacrer une terre promise sur laquelle ils pourront, *pardon my French*, chier tranquillement. Je ne peux également m'empêcher de sourire cyniquement devant la cohérence d'une société londonienne constamment inquiète du déficit chronique de logement, ouvertement préoccupée par l'exclusion que génère le loyer, qui sanctuarise en même temps de précieuses réserves foncières pour le confort des propriétaires de cockers.

L'Angleterre, certes libérale mais dotée d'une forte culture communautaire, est friande de ce micro-communisme segmenté, où des groupes de *happy few* se placent en autogestion et mettent en commun leurs moyens de jouissance.

Le plus souvent, ces jardins communaux occupent le centre d'une place ou d'un carrefour et sont visibles de l'extérieur, mais quelquefois on ne peut les deviner de la rue et leur présence est alors connue des seuls initiés. Enceint par un bloc d'immeubles comme à Philbeach Gardens, Coleherne Court ou Crescent Gardens, le *communal garden* est alors jalousement retranché tel un cloître urbain, un jardin secret qui a échappé à la cartographie et à l'œil démystificateur du passant anonyme.

Les riverains ayants droit ou leurs invités qui ont le privilège de pouvoir accéder à l'un de ces jardins communaux privés peuvent jouir d'un mode de vie citadin distinctivement britannique. Les grandes pelouses complantées de platanes centenaires, les longues bordures fleuries où l'agencement des plantes a fait l'objet de la considération attentive du chef jardinier, une sociabilité de voisinage si peu intrusive et si civilisée, voilà quelques ingrédients d'un mode de vie anglais qui pourra sembler désuet, ennuyeux ou bourgeois, mais qui dans leur ensemble constituent à mes yeux l'une des plus grandes joies de la vie londonienne.

Rus in urbe, « la campagne dans la ville », ces mots inscrits sur la façade nord de Buckingham Palace témoignaient d'un certain idéal urbanistique, ainsi que d'une préséance morale et culturelle du rural par rapport à l'urbain. Aux yeux du gentilhomme anglais des XVIIIe-XIXe siècles, la vie en ville était un mode de vie inférieur à la vie campagnarde et l'habitat idéal était celui de la grande propriété rurale, le *country estate*, lieu de pouvoir local et de résidence où s'épanouissait la culture aristocratique de la classe dominante. Ce goût pour une existence de gentleman-farmer est encore très prononcé en Angleterre, sans doute beaucoup plus qu'en France où il serait perçu, au mieux comme ringard et au pire comme socialement incorrect. Il est encore très largement vanté et exhibé dans des revues fort populaires telles que *Country Life* ou *The Field*, qui promeuvent un style de vie mêlant la possession d'une maison de campagne, la chasse, la pêche à la mouche, l'équitation, le croquet, le pique-nique dominical, les longues promenades sous la pluie, les *Wellington boots,* les pantalons couleur moutarde ou la casquette en tweed. Version miniature du *country estate,* la maison urbaine avec jardin puise également son origine dans cet héritage culturel. Les agences immobilières ne s'y trompent pas, qui rebaptisent librement certains quartiers en les affublant du nom de « village » dans leurs petites annonces, sans trop se soucier de savoir s'ils ont été déjà appelés ainsi. Il suffit que quelques rues voisines accueillent des maisons un peu plus basses que la moyenne, et qu'elles soient sises un tant soit peu à l'écart des grands axes de passage pour qu'elles aient droit à ce label vendeur. Knightsbridge Village, sur la bordure sud de Hyde Park, Kenway Village près de Earl's Court, Hillgate Village à Kensington ou Brackenbury Village du côté de Hammersmith portent ainsi des noms qui pour l'Anglais évoquent moins les quartiers à la mode de New York qu'une ville idéale parce que rurale, vivable parce que désurbanisée.

Liquide, fluide, hyperactif, le marché immobilier londonien a aussi des archaïsmes sur lesquels il convient de s'arrêter un moment. Le plus évident, et le plus connu, est la survivance juridique de la distinction entre *freehold*, notre pleine propriété, et *leasehold*, sorte de propriété à durée déterminée, autrefois appelé en France bail emphytéotique, qui donne à son bénéficiaire, le *leaseholder*, un statut incertain entre sous-propriétaire et super-locataire. Acheter à Londres, c'est souvent acquérir un droit au bail courant sur plusieurs décennies (parfois sur plusieurs siècles !), en échange duquel l'on s'acquitte d'une charge annuelle modeste, de quelques obligations administratives vis-à-vis de son bailleur-suzerain et d'une soulte de départ importante, équivalente pour les *leasehold* centenaires au prix d'acquisition d'un logement en *freehold.*

Il n'est pas rare dans le centre de Londres que le propriétaire de votre location, ou le *freeholder* de votre *leasehold*, soit l'une des quelques familles qui détiennent une partie considérable de l'immobilier londonien. À côté de la Couronne britannique, qui étend son domaine sur de vastes superficies de la capitale, quatre grandes dynasties aristocratiques[1] détiennent depuis de nombreuses générations un patrimoine considérable, incluant des quartiers entiers, représentant environ 250 hectares d'immobilier résidentiel et commercial de luxe au cœur de la capitale.

J'ai personnellement été petit locataire de la famille Cadogan pendant quatre ans, une dynastie au parcours étonnant. L'ancêtre fondateur était un certain sir Hans Sloane, médecin de renom qui vécut au début du XVIIIe siècle, parfait exemple de l'honnête homme des Lumières, éclairé, cosmopolite, féru de science et de savoir, et collectionneur avide de « curiosités » en tout genre. En 1717, Sloane acheta une propriété dans le petit village agricole et maraîcher de Chelsea, sis à proximité de Londres, qu'il légua ensuite à ses filles, l'une d'entre elles ayant épousé lord Cadogan. Les descendants de ce dernier allaient viabiliser, développer et bâtir ces terrains au cours du XIXe siècle, créant patiemment ce

1. Il s'agit des familles Grosvenor (dont le chef est le duc de Westminster), Cadogan, Portman et Howard de Walden.

qui allait devenir l'un des quartiers les plus prestigieux de la capitale britannique. Produit historique d'une sacrée veine, fructifié par une sage vision planificatrice, ce patrimoine immobilier, qui comprend logements, bureaux et boutiques, s'étale aujourd'hui le long de Sloane Street, entre Knightsbridge et Sloane Square, ainsi qu'entre King's Road et la Tamise. Il est évalué à plus de 3,8 milliards de livres, génère un loyer annuel de plus de 100 millions et est géré professionnellement par Cadogan Estates, la société familiale[1].

L'héritage familial s'est transmis dans l'urbanisme, dans la cohérence de l'architecture, très caractéristique entre Knightsbridge et King's road, où domine le fameux style en stuc et brique rouge appelé *Pont Street Dutch*, mais également dans la toponymie. À bien des égards, l'étude du plan des rues de Chelsea relève moins de la géographie urbaine que de la généalogie patricienne. De très nombreuses adresses, comme les célèbres Sloane Square et Sloane Street, ont été baptisées du nom du glorieux fondateur de la dynastie, d'autres en l'honneur de familles alliées (Lennox Gardens), tandis que la plupart célèbrent tout simplement la famille éponyme (Cadogan Square, Cadogan Gardens, Cadogan Place, etc.). La King's Road est sans doute la seule artère d'importance de Chelsea à avoir été épargnée par cette dénomination systématique des rues du quartier, comme si le Earl Cadogan, qui

1. Cadogan Estates, Rapport annuel 2012.

doit son titre aux rois d'Angleterre, avait flanché avant de commettre ce crime de lèse-majesté.

La souveraineté territoriale de la famille Cadogan sur le quartier de Chelsea est sans équivoque. Résidents et passants ne peuvent ignorer le seigneur de ces lieux, dont le fils aîné porte d'ailleurs le titre explicite de Viscount Chelsea, et chaque mois des centaines d'habitants s'acquittent de leurs droits féodaux, sous la forme de loyers ou autres charges liés au *leasehold.* À Paris, la Révolution, le code civil et la fiscalité des successions ont eu raison de la mainmise aristocratique et ecclésiastique sur le cadastre urbain. L'on imagine d'ailleurs assez mal, dans notre pays où la culture sans-culotte est encore très présente dans le discours politique de gauche comme de droite, des milliers de Parisiens payer tribut à des princes du sang ou à l'Église, deux des grands propriétaires fonciers de la capitale sous l'Ancien Régime.

Le Français verra dans cet héritage, au mieux un doux anachronisme, au pire une aberration sociale odieuse, au même titre que le maintien de la royauté ou la Chambre des lords. Si beaucoup d'Anglais se sont battus pour rogner le poids et l'influence de ces grands féodaux urbains, parvenant parfois à faire fléchir la loi dans ce sens[1], beaucoup d'autres soulignent

1. La loi permet depuis plusieurs années aux détenteurs de *leasehold* de longue durée de racheter le *freehold* à son propriétaire selon une procédure réglementée.

le rôle utile qu'ils ont joué au cours des siècles, notamment dans la planification de l'espace, la protection des sites naturels face au mitage urbain et l'édification d'une infrastructure sociale durable. Parce que leur horizon d'investissement s'étale sur plusieurs générations, parce que la préservation à long terme de leur patrimoine leur importe plus que l'appréciation à court terme de leurs immeubles, et parce qu'ils raisonnent en propriétaires responsables de quartiers entiers, ces *Great Estates* familiaux ont aussi gagné la réputation, sans doute en partie méritée, d'avoir contribué à bâtir et maintenir la cohérence architecturale des territoires urbains dont ils ont la charge, et de ne pas avoir cédé aux spéculations foncières les plus faciles. L'opinion a ainsi largement salué les travaux de rénovation urbaine menés à l'initiative de ces familles, tels le rajeunissement de Marylebone High Street opéré par la famille Howard de Walden, ou, plus récemment, la reconversion par Cadogan Estates des anciennes casernes du Duke of York Square, qui, à son ouverture en 2003, était le plus grand espace public créé à Londres depuis des décennies, un ensemble, ouvert aux piétons, de magasins, de galeries d'art et d'appartements[1].

---

1. Cf. notamment sur ce sujet *The Great Estates*, 2006, document (auto-promotionnel, mais néanmoins utile par son contenu) de support de l'exposition organisée en 2006 par le New London

Après huit années de location itinérante, et peut-être plus par atavisme bourgeois et mimétisme social que par calcul économique, j'ai finalement cédé aux sirènes de la propriété immobilière. Changement de statut certes illusoire, dans la mesure où le véritable propriétaire des murs, le vrai nanti, est la banque qui m'a avancé la majorité du capital et substitué au loyer de la pierre celui de l'argent.

Notre agent immobilier nous avait vanté le prestige et la valeur du quartier. Située sur la limite nord de Kensington, notre maison est en effet logée au cœur de l'une des zones privilégiées de la ville. À quelques centaines de mètres au sud, une petite enclave féodale, le Phillimore Estate, aligne ses grandes demeures victoriennes le long de rues claires qui portent toutes le nom de la famille seigneur des lieux. À l'est, au-delà de Holland Park, s'étale le quartier du même nom avec ses grandes avenues patriciennes, tandis que plus au nord débute la célèbre colline de Notting, patchwork architectural où tâchent de coexister logement social et haute société.

Maison de poupée plus que maison de maître, notre petite demeure familiale a une histoire beaucoup plus modeste que son prestigieux voisinage. Située en lisière d'un quartier que les agents immobiliers (encore eux !)

Architecture ; ainsi que Zoe Dare Hall, « The Revival : London's great estates », *The Telegraph*, 5 novembre 2013.

ont baptisé Hillgate Village, elle fut construite vers 1860, à l'époque où l'industrialisation et l'urbanisation accélérée de Londres avaient nécessité la construction hâtive de logements décents pour les classes laborieuses qui venaient s'y installer en masse. Notre logement devait être une ancienne échoppe d'artisan, ou peut-être l'habitat d'une famille d'ouvriers travaillant dans les nombreuses usines de la ville. Son espace intérieur, sans noblesse, la simplicité de son architecture trahissent ces origines populaires. Rien ne respire le luxe chez nous, ni les chambres exiguës, ni le jardinet si faiblement éclairé ou les murs légèrement fléchis par des décennies de subsidence du sol.

Peu m'importe. Fidèle au célèbre adage anglais, je me sens chez moi comme dans mon château, jouissant de ce sentiment de petite souveraineté bourgeoise que seule une maison peut procurer.

Ploutopolis

« Nous sommes ici dans la ville la plus riche du plus riche pays du monde : aucun luxe passé ne peut rivaliser avec notre luxe d'aujourd'hui, et si l'on pouvait se libérer de notre aveuglement habituel, l'on admettrait qu'il n'y a nul crime contre l'art, nulle laideur et nulle vulgarité qui ne soient partagés, dans les mêmes proportions et selon une équité parfaite, entre les taudis modernes de Bethnal Green et les palais modernes du West End. »

William Morris,
Hopes and fears for art, 1882

« Anglais : Tous riches… »

Gustave Flaubert,
Dictionnaire des idées reçues, 1853

Il y a des villes d'eaux comme Évian, des villes-musées comme Florence, des villes administratives comme Ankara ; Londres est, nul doute, une ville d'argent.

L'argent occupe une place prépondérante dans la vie quotidienne de l'immigré londonien, dans ses préoccupations, ses conversations et ses décisions. Fraîchement arrivé à Londres, je me souviens de ces dîners de jeunes professionnels où l'on ressassait à l'envi les mêmes thèmes : la cherté de la vie, le coût d'une course de taxi, l'inflation des loyers ou les menus aux prix exorbitants des restaurants de la ville. Travaillant presque tous dans les métiers de l'usure ou de la spéculation, et passant la majeure partie de notre temps au bureau, nous finissions également par ne parler que d'argent dans notre français altéré et jargonnant. Sans attache familiale locale et sans assise sociale, le jeune immigré professionnel fréquente par défaut les membres de sa corporation, risquant par la même occasion de rétrécir son champ relationnel. C'est là la triste ironie de l'expatriation volontaire : l'on quitte son pays pour élargir ses horizons et, quelquefois, découvrir autrui, mais une fois sur place, on s'enferme dans sa même communauté nationale et professionnelle.

À Londres, la finance ou le manque de finances semble tout régler et tout régenter, et Mammon est le grand horloger de la ville. C'est la Banque d'Angleterre et non l'héritage chrétien de la Grande-Bretagne qui a fixé le calendrier des jours fériés, ces fameux *bank holidays* chéris par une ville qui travaille sans doute un peu trop. Même si la crise financière et la vague de réglementations qui l'a suivie lui ont fait perdre beaucoup de poids, à la fois symbolique et numéraire, le bonus du financier reste l'un des cadeaux les plus attendus des périodes de fin d'année. Son calendrier de paiement (de décembre à février) permet de comprendre le cycle de besoin en fonds de roulement de la ville, et les agents immobiliers considèrent la saison des bonus comme le démarrage officieux de leur période de plus grande activité.

Londres est bien une ville d'argent, parce que l'angoisse universelle de ses citadins est de ne pas en avoir assez pour continuer à y vivre. On connaît la précision du vocabulaire anglais qui dispose de ses fameux *phrasal verbs,* ces verbes à particules que l'on nous fait apprendre par cœur à l'école et qui permettent de tout décrire – mouvements, gestes, actions et sentiments – avec une minutie d'entomologiste. Parmi ceux qui reviennent le plus fréquemment dans la plume des journalistes ou dans la bouche des Londoniens lorsqu'ils parlent de leurs conditions de vie, il y a *to price out,* le plus souvent conjugué à la forme passive. *To be priced out* signifie être exclu, écarté, expulsé par l'inflation, ou plus exactement par la capacité des plus riches que soi à la suivre. Londres est en effet une ville où chaque groupe social se sent paupérisé ou menacé de paupérisation, où les plus aisés, banquiers, avocats et médecins, se plaignent de l'afflux d'argent étranger, où le *squeezed middle*[1] d'Ed Milliband, cette section de la classe moyenne qui a vu ses revenus stagner en termes réels depuis les deux dernières décennies, éprouve le sentiment désagréable d'être mise à la porte de chez elle, et où chômeurs et moins qualifiés sont automatiquement rejetés vers la pauvreté, la vraie cette fois-ci, parce que, lorsqu'il est question de Londres et d'argent, il y a toujours le décorum et l'envers du décor, la vitrine et l'arrière-boutique, la ville étant loin d'avoir chassé ses anciens démons dickensiens[2].

Que Londres soit souvent perçue comme la ville-capital par excellence n'a évidemment rien de très surprenant, tant sa trajectoire historique fut indissociable de l'avènement et du triomphe du capitalisme mondial. Place portuaire et capitale politique d'un empire colonial majeur, elle a connu depuis l'époque moderne une croissance économique et démographique exceptionnelle, stimulée par le développement du commerce maritime et par sa montée en puissance comme métropole

---

1. Expression popularisée par le leader du parti travailliste en 2011 désignant la partie inférieure de la classe moyenne.

2. 27 % des Londoniens vivent en dessous du seuil de pauvreté, contre 20 % dans le reste du Royaume-Uni, rendant les initiatives du gouvernement britannique en matière de limitations des dépenses sociales relativement plus difficiles à supporter pour la capitale (source : Trust for London, 2013).

financière globale. Ce n'est pas un hasard si le cœur historique de la ville est aussi son centre financier, et s'appelle the City of London, comme si ce petit lopin de terre urbaine, ce *square mile*, en résumait l'essence, telle une métonymie géographique. Le premier commerce de Londres est clairement celui de l'argent, que la ville prête et emprunte, expose et protège, épargne et dépense, investit et gaspille, diffuse et rassemble tout à la fois, comme une formidable *pompe à phynances* qui maintient le rythme cardiaque du pays et en assure la vitalité.

Il serait tentant de supposer que la dernière crise financière ainsi que les nombreux scandales qu'elle a mis au jour ont durablement affecté l'influence et le prestige de la ville. Il faut avouer que la City et ses extensions de Canary Wharf et du West End ont repayé une partie de leur dette envers la société, emportées par un cycle brutal de contraction, de restructuration et de réglementation. Entre 2007 et 2012, l'industrie britannique des services financiers a vu ses effectifs diminuer de plus d'un quart[1]. La menace, en cours d'exécution, d'un vaste mouvement de réglementation britannique, européen et américain, touchant à l'organisation du secteur, à ses systèmes de rémunération et à la liberté d'exercice de ses activités, est en train de transformer profondément les métiers de la banque et de la finance,

1. Source : Centre for Economic and Business Research, 2013.

et aura certainement des conséquences de taille sur sa faculté à recruter des talents.

La réputation et l'image de la City en Grande-Bretagne se sont déjà considérablement dégradées. De noble institution autrefois associée au rayonnement de l'empire, et plus récemment au dynamisme économique du pays, elle est devenue aux yeux du public une vieille dame corrompue, grand-mère de tous les vices et marraine de tous les excès. Les symboles, anecdotiques ou plus fondamentaux, de cette déchéance se sont multipliés depuis 2008. Sir John Houblon, le tout premier gouverneur de la Banque d'Angleterre, a été effacé des nouveaux billets de 50 livres au profit d'industriels du XIXe siècle, héros de l'économie réelle ; un ancien patron de la Royal Bank of Scotland a été déchu par la reine de ses titres de noblesse ; David Cameron, chef d'un parti ordinairement critiqué pour être au cœur de l'alliance du Trône et du Coffre-fort, a cloué les banquiers au pilori dans ses discours, promettant de nouveaux châtiments pour punir leurs « mauvaises pratiques choquantes et largement répandues », tandis que le magazine *The Economist*, que l'un de nos ministres avait pourtant surnommé le « *Charlie-Hebdo* de la City », consacra l'une de ses couvertures aux *Banksters*, ces banquiers-bandits criminels en col blanc du XXIe siècle. Foin donc du respect traditionnel dont la Grande-Bretagne a fait preuve pendant des décennies vis-à-vis de sa vénérable classe de grands argentiers. Jadis membres distingués de l'*establishment*, les banquiers et autres financiers de Londres ne valent guère mieux que les voyous des rues dont l'exemple aurait même inspiré le vol et la violence à tous les niveaux de la société, certains commentateurs n'ayant pas hésité à les rendre indirectement responsables des émeutes et pillages qui ont secoué la capitale pendant l'été 2011. L'un des animateurs de télévision et radio les plus célèbres du pays, Russell Brand, écrivit ainsi à ce propos :

> « Pourquoi suis-je surpris que ces jeunes se comportent de manière destructrice, insensée, uniquement motivés par leur intérêt égoïste ? Comment devrions-nous décrire les actions des banquiers de la City, qui ont mis notre économie à genoux en 2010 ? Altruistes ? Sensés ? Évidemment ils portent des costumes et méritent donc d'être repêchés, et peut-être est-ce pour cette raison qu'aucun d'entre eux n'a été mis en prison. Ils s'en sont tirés avec beaucoup plus qu'une p... de paire de baskets[1]. »

Plus inattendu, Ingram Pinn, l'un des caricaturistes du *Financial Times*, avait publié un dessin intitulé *Broken Britain* dans lequel on voyait un jeune casseur, la tête protégée par une capuche de survêtement, porter une boîte de chaussures de sport qu'il venait de voler,

1. Russell Brand, « Big Brother isn't watching you », *The Guardian*, 11 août 2011.

emboîtant le pas à deux hommes plus âgés habillés en costume-cravate, chacun tenant dans ses mains un carton rempli de billets de banque, sur lesquels étaient respectivement écrits « Notes de frais des députés[1] » et « Bonus des banquiers ».

Cette mauvaise presse place l'immigré français employé dans la finance dans une position inconfortable, le cul entre les deux rives de la Manche, entre sa patrie d'origine dont le chef d'État avait montré du doigt la Finance, son « véritable adversaire », dans sa campagne électorale, et sa patrie de résidence, qu'il croyait plus hospitalière vis-à-vis des gens d'argent, mais qui leur est devenue sensiblement plus hostile. Tout cela n'est cependant pas bien grave. Même jeté à la rue après une faillite bancaire ou un plan social, ses effets personnels entassés dans un carton, même amputé de son bonus, le financier sait qu'il a de toute façon peu de chances de susciter la moindre compassion chez son prochain. Il n'est pas entré dans cette carrière pour être en odeur de sainteté et inspirer les hagiographes, tant il sait que, de Shylock à Patrick Bateman, la littérature et l'imaginaire populaire ont rarement créé des financiers dignes de la sympathie de leurs lecteurs.

1. Fait référence au scandale déclenché par les révélations publiées en 2009 par le *Daily Telegraph* sur les pratiques répandues de surfacturation en notes de frais parmi les députés de la Chambre des communes.

Les misères traversées par la City depuis plus de six ans, qui ont succédé à cinq années de splendeurs, ont en fait à peine égratigné le statut de métropole financière mondiale dont est parée la ville, et n'ont en rien affaibli son magnétisme international. Il se peut d'ailleurs que ces temps difficiles soient vite oubliés, dans la mesure où, au moment où j'écris ces lignes, la City semble revivre d'un regain d'optimisme, les marchés financiers reprennent des couleurs, les chasseurs de tête paraissant sortir peu à peu du chômage technique. Si des milliers d'individus ont perdu leur emploi après l'éclatement, en 2007-2008, de la dernière grande bulle financière, et si la ville s'est avérée être l'un des berceaux de cette culture d'excès et de démesure qui a corrompu la finance internationale, Londres a affiché au cours des dernières années une santé insolente, continuant à creuser l'écart économique avec le reste du Royaume-Uni et accentuant son rayonnement international[1]. La ville n'est pas, faut-il le rappeler, en situation de mono-industrie. La concentration unique de capital et de travail qualifié dont elle bénéficie a multiplié les nouvelles sources d'activité et de richesse, comme en témoigne, de façon anecdotique mais significative, la croissance

1. D'après une analyse de l'Office for National Statistics publiée en décembre 2013, l'économie londonienne a crû de 15,4 % entre 2007 et 2012, contre 8,5 % pour la moyenne du Royaume-Uni.

rapide, à partir de 2008, de Tech City, cette petite Silicon Valley européenne qui a poussé dans les quartiers autrefois délabrés de l'East End et qui a généré, sans aide initiale de l'État, un nouvel écosystème entrepreneurial aux portes de la City, au moment même où celle-ci expulsait des tombereaux de banquiers hors de ses murs.

Le financier-immigré français n'est, à quelques exceptions près, que quantité négligeable dans cette ville globale. Les véritables ploutocrates londoniens ne sont ni les infâmes Shylock si décriés par l'opinion publique, ni même la majorité des gérants de fonds qui y travaillent, mais plutôt les membres d'une oligarchie internationale qui a aménagé ses quartiers à Londres. On y trouve bien sûr quelques noms européens, armateurs grecs et scandinaves, financiers en tous genres, mais aussi, et de plus en plus, le gotha de l'ex-tiers-monde, multimillionnaires des économies émergentes. À la communauté *euro-trash* des immigrés professionnels venus d'Europe continentale, aux Américains aisés qui ont accompagné les grandes banques d'affaires de leur pays, s'est surimposé un groupe, moins nombreux mais beaucoup plus fortuné, une *global trash* ou *Superclass* d'Indiens, d'Arabes du Moyen-Orient, Brésiliens, Russes ou autres Chinois qui ont investi la capitale britannique depuis une bonne décennie. Ils n'ont pour la plupart pas créé leurs richesses considérables en Angleterre, mais dans leur pays d'origine, et se sont installés, au moins à temps partiel, à Londres, attirés par les avantages fiscaux que le gouvernement leur offrait, le rayonnement international de la ville, quelquefois aussi par un certain refuge politique.

Dans l'édition 2014 de la fameuse *Rich List* du *Sunday Times*[1], on comptait, parmi les cent plus grandes fortunes du Grand Londres, près de quarante-six familles ou individus d'origine étrangère, dont une nette majorité de personnalités provenant des pays émergents. J'inclus dans ce groupe seuls ceux qui présentent un profil international marqué et détiennent des intérêts importants à l'extérieur du pays, et non ces immigrés définitifs venus faire ou refaire leur vie à Londres il y a des décennies, et par la suite pleinement intégrés dans leur patrie d'adoption[2]. L'image cliché d'une capitale anglaise devenue colonie exclusive pour la ploutocratie globale se trouve encore plus fortement validée par les chiffres si l'on analyse les dix premières fortunes de la métropole,

---

1. Ce classement annuel, comparable à celui que *Forbes* et *Challenges* compilent pour leurs pays respectifs, réunit un ensemble de gens plutôt hétéroclite, puisqu'il mélange dans son classement Britanniques résidant au Royaume-Uni, Britanniques expatriés (beaucoup plus nombreux qu'on ne pourrait le penser), et étrangers résidant à Londres (notre propos de ce paragraphe).

2. La frontière entre l'immigré *self-made man* et l'expatrié cosmopolite n'étant pas toujours évidente à tracer, mes statistiques reposent sur un certain niveau d'interprétation.

où l'on ne compte plus que deux familles britanniques, qui doivent désormais compter avec trois Russes, deux Indiens, un Suisse, un Norvégien et un Canadien.

Ce haut du panier de l'émigration constitue souvent une classe de seigneurs absentéistes, vivant souvent en résidence à temps partiel ; à bien des égards, le centre privilégié de Londres n'est plus aujourd'hui qu'un pied-à-terre pour l'élite économique mondiale, l'un des nombreux points d'ancrage du Richistan mondial. Ces flux migratoires obéissent parfois à une logique saisonnière. Entre juin et septembre, au moment des grandes chaleurs du Moyen-Orient, les Arabes fortunés du Golfe passent l'été à Knightsbridge et Mayfair, où ils remplissent les palaces ou occupent, le temps d'une saison, leur demeure locale. On voit défiler en procession autour des grands magasins les femmes vêtues de leur *abaya*, et parader les hommes à bord de leurs grosses cylindrées immatriculées au Qatar, Bahreïn ou Koweït. De même, l'on estime à environ 3 000 les riches Indiens qui débarquent chaque été dans leur ancienne capitale coloniale pour y déplacer leur vie sociale pendant la saison chaude. L'attrait de l'immobilier londonien aidant, ils comptent parmi les principaux acquéreurs de biens de luxe de la ville, ayant acheté environ un quart des appartements et maisons de Mayfair cédés en 2012[1].

1. Bagehot, « A passage to Mayfair », *The Economist*, 27 juillet 2013.

Les beaux quartiers de la ville abritent également la cité universitaire la plus élitiste d'Europe. Dans un pays où l'opinion se plaint régulièrement du coût des études supérieures et de l'obligation faite aux étudiants britanniques de s'endetter pour financer leur diplôme, le centre de la capitale fait une nouvelle fois figure d'exception, dans la mesure où les riches étudiants étrangers y accaparent une part importante du marché locatif. Sur les quelque 100 000 étudiants non-ressortissants de l'Union européenne qui résident à Londres, nombreux sont ceux qui peuvent se permettre de s'acquitter de loyers ridicules pour habiter à Mayfair, où 25 % des locataires, dans la tranche de loyer 4 000-8 000 livres mensuels, sont des étudiants internationaux qui choisissent ce quartier plus pour ses discothèques et ses boutiques que pour la proximité des bibliothèques ou autres lieux académiques[1]. Certains d'entre eux n'hésitent pas à acheter leur logement pour éviter la précarité pénible de la condition de locataire, et il n'est pas rare que l'immigré professionnel soit en concurrence directe avec cette population d'acheteurs dans son effort d'accès à la propriété.

Qu'elle soit saisonnière ou permanente, touristique ou résidente, la ploutocratie internationale aime se mouvoir dans un espace relativement circonscrit, une *Bling Belt* qui dessine un grand nœud papillon dont le centre

1. Source : Dataloft, Wetherell, juillet 2013.

se situerait à Hyde Park Corner, et les pointes à Marble Arch, Piccadilly, Sloane Square et à l'extrémité de Knightsbridge. C'est dans ce morceau de choix du centre de Londres qu'elle y trouve son habitat de prédilection (Knightsbridge, Belgravia et Mayfair), ses monuments urbains, comme Harrod's ou l'hôtel Mandarin, ou ses artères marchandes (Bond Street, Sloane Street). C'est dans cette partie étincelante de la ville que la richesse est la plus manifeste et la plus insolente, visiblement inaffectée par les difficultés économiques que le pays traverse depuis 2008.

L'argent nouveau balaie et dévalue l'ancien. En 2006, Knight Frank, un agent immobilier spécialisé dans le haut de gamme, vendait des biens à des acheteurs appartenant à trente nationalités différentes. En 2012, ce chiffre était de 64, les Russes accaparant les premiers prix. Le même phénomène s'observe dans le marché de l'art. Ed Dolman, ancien patron de Christie's, affirmait déjà en 2007 : « Notre base de clients traditionnelle, qui est toujours fortunée, ceux dont nous pensions qu'ils étaient nos plus gros clients, ne sont plus grand-chose en termes de richesse à côté de nouveaux venus, particulièrement à Londres[1] ».

Ce nouvel argent conquérant se réapproprie si fermement la ville qu'il en inverse les tendances

1. Cité dans Peter Barber, « Power of London », *Financial Times*, 27 octobre 2007.

sociologiques du siècle dernier. C'est un fait connu, dans la plupart des grandes capitales occidentales, les anciennes demeures patriciennes ont été depuis longtemps transformées en ambassades ou bâtiments administratifs, les familles des anciens propriétaires n'ayant plus les moyens de les entretenir, alors que les États manifestaient leur puissance dans la pierre. Ce phénomène s'est observé à Paris, où l'énarchie s'est substituée à l'aristocratie dans le noble faubourg, mais il a été aussi nettement visible à Londres, en particulier dans le quartier de Belgravia. La tendance inverse est peut-être en train de se produire. Quelques pays ont déjà cédé leurs belles ambassades victoriennes à des promoteurs ou de riches particuliers étrangers, comme les Philippines qui ont vendu la leur en 2008 à Lakshmi Mittal pour 70 millions de livres[1]. D'autres suivront. Les États-Unis et les Pays-Bas ont ainsi annoncé qu'ils vendaient et quittaient leur beaux immeubles, de Mayfair et de Kensington respectivement, pour le quartier de Nine Elms – vaste projet de redéveloppement urbain au sud de la Tamise, dans une ancienne zone industrielle. Les immeubles ainsi désertés ne seront pas occupés, comme on pourrait le penser, par de grandes multinationales, mais, dans la majeure partie des cas, par des membres de la *Superclass* cosmopolite de la ville,

1. Jonathan Prynn, « The £3 billion embassy sell-off bonanza », *London Evening Standard*, 21 août 2013.

telle une revanche des patriciens face à des États exsangues, devenus économes par nécessité. La chose publique semblait avoir remplacé de manière irrémédiable la fortune privée, or celle-ci revient en force et repeuple les quartiers aristocratiques d'hier.

La *Superclass* est grande consommatrice de prestige et participe à une économie du symbole où la notion de valeur d'usage perd tout son sens. Un membre de cette caste qui cherchait un nouveau logement m'avait une fois expliqué qu'il cherchait avant tout à acquérir son bien immobilier dans ce qu'il appelait des « adresses-marques » (*brand addresses*), qui à ses yeux étaient le moins susceptibles de se dévaluer. Certaines adresses, comme Eaton Square à Belgravia, Cadogan Square ou The Boltons à Chelsea, Pelham Crescent à South Kensington, ou Holland Park dans le quartier du même nom cristallisent les désirs résidentiels de cette *Upper class 2.0*. Les maisons qui s'y trouvent deviennent des biens trophées (*trophy assets*), dont la demande s'accroît avec leur prix, en vertu d'une hyperélasticité qui ne connaît pas de résistance.

L'accueil que réserve l'Anglais à cette population est pour le moins ambigu. Certes, suivant leur pragmatisme habituel, les Anglais reconnaissent et applaudissent l'effet d'entraînement économique que la présence et surtout les dépenses de ces groupes sociaux produisent, les emplois qu'elles génèrent et l'activité qu'elles suscitent. Certains en revanche en regrettent les effets pervers, en particulier l'inflation généralisée que cette émigration haut de gamme semble avoir produite et l'érosion du pouvoir d'achat des classes aisées traditionnelles. Comme l'écrivait le rédacteur en chef du *Tatler's*, « La *superclass* vous dépasse dans la course aux meilleures écoles, et surpaie pour la maison dont vous pensiez qu'elle vous était destinée[1] ». Eleanor Mills, chroniqueuse au *Times*, se plaint de son côté :

> « Si l'on rassemble les banquiers britanniques qui gagnent plus de 1 million de livres, les 114 000 résidents non-dom et cette nouvelle race de millionnaires des économies en voie de développement qui placent leur argent dans des maisons où ils ne vivent même pas, l'ampleur de l'invasion ploutocrate devient patente[2]. »

Mills va ensuite plus loin, estimant que, y compris dans des quartiers traditionnellement dévolus à la « classe moyenne » – cette fameuse *middle class* britannique, qui n'a aucune assise sociologique, mais pourtant si fermement ancrée dans les représentations collectives du pays –, les répercussions de cette irruption brutale d'argent étranger sont telles que le tissu communautaire et les liens sociaux se dissolvent à mesure que leurs habitants se retrouvent poussés dehors par la marée montante de l'argent nouveau :

1. Cité dans Peter Barber, *art. cit.*
2. Eleanor Mills, « It's the middle class empty quarter », *Sunday Times*, 21 juillet 2013.

« Le résultat est un exode massif des familles ordinaires, qui ne peuvent rivaliser avec les riches étrangers qui colonisent Londres[1]. »

C'est dans *Notting Hell*, le roman humoristique écrit par Rachel Johnson, la sœur de Boris, sur la vie d'un *communal garden* de Notting Hill, que cette expropriation progressive des Anglais du centre-ville a été le plus joliment évoquée. L'histoire de cette petite communauté de quartier peut sans doute être interprétée comme une gentille satire sur l'évolution du centre de Londres tout entier. Sa principale narratrice, Mimi Fleming, et son mari Ralph vivent dans une maison que le père de Ralph avait achetée pour une bouchée de pain en 1962, à une époque où coexistaient sur cette célèbre colline brocanteurs et familles modestes récemment arrivées des Antilles britanniques. Ralph est l'archétype du gentleman désargenté. Etonien, féru de pêche à la mouche et de tweed, il est aussi sans le sou et abhorre l'invasion apparemment irréversible de son quartier par les citoyens de Ploutopolis, en particulier les Américains, dont il qualifie l'afflux massif d'*Amschluss*[2]. Il faut reconnaître que l'environnement a beaucoup changé pour les Fleming

1. *Ibid.*

2. Mot-valise (*portmanteau word*) qui marie *American* et *Anschluss*, et véhicule tout à la fois la germanophobie et le léger mépris pour l'Américain parvenu, deux sentiments encore assez présents en Angleterre.

depuis qu'ils ont emménagé dans cette charmante partie de la ville. Les prix de l'immobilier ont grimpé en flèche ; Ponsonby, l'école primaire privée du coin, n'a plus assez de places pour les enfants du quartier et les petits commerces ont tous disparu, laissant la place à une offre pléthorique et redondante de boutiques de vêtements et de restaurants sophistiqués. Les Fleming, qui se considèrent comme des occupants ancestraux du quartier, ne se reconnaissent plus dans ce nouveau voisinage et n'arrivent ni à égaler ni à comprendre le style de vie dispendieux et matérialiste de leurs nouveaux voisins. S'il y a encore beaucoup de familles anglaises à Lonsdale Gardens, l'adresse fictive de Mimi, on y trouve de plus en plus de riches étrangers, dont l'arrivée progressive perturbe et finit par rompre l'équilibre social de cette communauté. Parmi eux, l'on compte un couple de Français aisés, dont la femme, régulièrement moquée pour son accent disgracieux, suscite fantasmes et jalousies ; un banquier américain de Boston, qui affiche sa fortune brutalement au point de construire un garage sur le jardin communal au nez et à la barbe de ses voisins, et un milliardaire indo-américain, qui vient tout juste de s'installer et dont la fortune génère curiosité, envie et désirs malsains. La fin du livre est assez prévisible : après bien des rebondissements, notre couple prend acte de ces changements, cède sa maison pour un prix fabuleux, ce qui lui permet de fuir l'enfer de

Notting Hill et de s'installer pour une vie édénique dans le Dorset.

La presse comme une bonne partie de l'opinion britannique soulignent et rejettent à la fois la culture de l'ostentation et du bling bling, qui semble se généraliser dans leur ville et qui froisse quelque peu le goût britannique pour la discrétion. Mark Palmer, le chroniqueur voyage du *Daily Mail*, décrit en ces termes son expérience dans le nouvel hôtel Bulgari (qu'il rebaptise Vulgari), lors de son ouverture sur Knighstbridge :

> « Le fait que le Bulgari soit pratiquement plein toutes les nuits (y compris ses suites en penthouse à 14 000 livres) est révélateur de ces niches de la Grande-Bretagne moderne qui ont été transformées en temples de la vulgarité, fréquentés par des étrangers tapageurs qui ne paient pas d'impôts, mais font monter tous les prix à nos dépens[1]. »

Il ajoute plus loin :

> « Le bon goût, dont ce pays avait autrefois une bonne notion, a trop souvent été balayé par des monuments grossiers dédiés au bling bling. »

Ce bon goût britannique auquel il est fait référence est probablement celui d'une élégance se voulant sobre

1. Mark Palmer, « My night in Hotel Vulgari », *Daily Mail*, 2 juillet 2012.

avant tout, où le rustique est préféré au sophistiqué, le style à la marque, le *shabby chic* au luxe clinquant, le tweed usé à la fourrure neuve. Le journaliste tourne en dérision le recours facile aux effets brillants et aux teintes chatoyantes, ainsi que l'usage immodéré du miroir. Une certaine vision britannique du monde préfère, peut-être hypocritement, une décoration en demi-teinte, où la fortune se suggère et se sous-entend plus qu'elle ne rayonne.

Comme souvent lorsqu'il est question de dénoncer le mauvais goût de l'argent nouveau, la tentation xénophobe n'est jamais très loin, et Palmer associe explicitement le luxe ostentatoire du Bulgari avec le barbare fortuné qui éclabousse Londres de sa richesse. Il note ainsi :

> « Nous remarquons deux femmes rachitiques du Moyen-Orient qui passent leur dîner à envoyer des SMS, et ne regardent même pas le serveur lorsqu'il leur apporte la feuille de laitue qu'elles ont commandée. »

Et conclut ainsi son article :

> « Le gérant de l'hôtel espère que mon épouse et moi reviendrons bientôt. En revanche, de notre côté, nous espérons que le Bulgari ferme et emporte avec lui la plupart de ses clients. »

Le mépris du parvenu dispose de sa cible de prédilection : le Russe, ou bien, parce les préjugés s'embarrassent en général assez peu d'exactitude, ses cousins ukrainiens, kazakhs ou ouzbeks. Oligarque ou illustre inconnu, le Russe a en effet investi la capitale en masse, et massivement investi dans son patrimoine immobilier, à tel point qu'elle est parfois surnommé *Londongrad.* La presse britannique est obsédée par cette nouvelle figure sociale et raffole des clichés à son encontre : vulgaire, dépourvu de bonnes manières, il aime et achète tout ce qui brille, sans discernement et surtout sans goût. Sa femme, forcément beaucoup plus jeune, mais également, il faut le reconnaître, fort jolie (dans son genre), est capricieuse, vénale et revêche. L'Anglais raille également le Russe pour son attitude de bourgeois gentilhomme qui singe et aspire au style de vie de la haute société britannique. Le *Daily Mail* a consacré ainsi un long article sur un certain Leon Max, milliardaire russe qui a fait fortune dans la confection, acquis un magnifique château du XVIIIe siècle et reproduit par un mimétisme réussi le style de vie de l'aristocratie anglaise, employant un maître d'hôtel et organisant des parties de chasse. L'article s'efforce de rester neutre et descriptif, mais une certaine ambiguïté ironique se révèle entre les lignes. Le protagoniste de l'histoire est comparé à plusieurs reprises à Gatsby le Magnifique (rappelons que Jay Gatsby est l'archétype du nouveau riche avec une fortune d'origine douteuse) et à un faux « prince » de la Renaissance qui s'est acheté tous les signes extérieurs de la noblesse qu'il pouvait s'offrir, y compris Roy, le garde-chasse qu'il a « acquis lorsqu'il acheta la propriété pour 15 millions de livres[1] ».

Non seulement le Russe vient concurrencer le natif dans son accession à la propriété et sa jouissance des plaisirs de *sa* capitale, mais il cause également du tort aux Anglais dans leurs propres colonies de vacances, dans les stations alpines, sur la Côte d'Azur ou en Italie. Un article du *Daily Telegraph* dénonce ainsi l'invasion russe en Toscane[2], considérée comme chasse gardée britannique. Là-bas, des « Russes pleins de cash dont le bon goût n'est pas toujours à la hauteur de leur fortune fabuleuse » gênent des « Britanniques aisés » installés de longue date, produisant les mêmes effets secondaires que ceux observés à Londres, comme la flambée des prix de l'immobilier, la débauche de vulgarité ou la regrettable substitution du petit commerce traditionnel par des boutiques de luxe.

Ce qui frappe dans cet article (qui est loin d'être un exemple unique), c'est non seulement le mépris pour le Russe nouveau riche dont il a déjà été fait mention, mais aussi le fait que le journaliste se sente en Toscane

1. Charlotte Eagar, « The Russian billionaire, his six-foot tall blonde muse and the stately pile he's bought from a hard-up English aristocrat », *Daily Mail*, 13 mars 2012.

2. Nick Squires, « Bling comes to "Chiantishire" as Russians invade Tuscany », *Daily Telegraph*, 25 août 2012.

comme chez lui, comme s'il n'y avait aucune différence entre le *Chiantishire* et les Cotswolds, sans imaginer une seul instant que la population italienne pourrait éventuellement ressentir la présence britannique elle-même comme envahissante. L'article cite un agent immobilier anglais spécialisé dans la région, qui nuance toutefois le tableau en précisant qu'« il y en a quelques-uns qui parlent un anglais parfait, scolarisent leurs enfants au Royaume-Uni, et font preuve de beaucoup plus de discernement ». Que le lecteur se rassure donc, parmi ces barbares slaves se trouve une poignée d'individus civilisés parce qu'anglicisés !

Si le Russe de Londres cristallise à ce point les préjugés, c'est parce que l'Anglais méprise autant le « nouveau riche » que le Français, auquel il a emprunté cette expression comme les mots moins fréquents mais plus péjoratifs encore, de « parvenu » ou d'« arriviste ». Termes adoptés par l'anglais au tournant des XVIIIe et XIXe siècles, à une époque charnière où la double action des Lumières et de la première révolution industrielle favorisait l'émergence d'une élite nouvelle qui prétendait concurrencer ou supplanter l'ancienne. Les motifs de rejet du nouveau riche sont quelque peu différents de chaque côté de la Manche. Chez le Français, on peut y déceler une méfiance vis-à-vis de la réussite et de l'enrichissement individuels, mentalité sécrétée par des siècles de catholicisme et d'esprit égalitariste et révolutionnaire. Chez l'Anglais, on y décèlera plutôt la survivance d'un mépris de classe de *l'old money* par rapport au *new money*. Cette haine du parvenu est omniprésente dans la culture littéraire et populaire britannique du XIXe siècle jusqu'à nos jours. L'un des plus célèbres anti-héros du genre est Barry Lyndon, personnage picaresque de William Thackeray, si brillamment adapté par Stanley Kubrick. Barry Lyndon résume à lui seul le vilain parvenu de l'Angleterre géorgienne. Irlandais d'origine, il est déjà entaché du mauvais sang des colonies de la périphérie britannique. De petite *gentry*, il ne peut prétendre rivaliser avec l'aristocratie du *peerage*. Paresseux, menteur, voleur, arriviste, Barry est surtout coupable d'être mal né et d'avoir osé mettre quelques gouttes de sang bleu dans les viles veines de sa descendance.

Barry Lyndon est certainement un cas célèbre, qui appartient à l'imaginaire social de la société victorienne, conservatrice et hiérarchique, et surtout éteinte depuis plus d'un siècle. Certes, mais à bien des égards le personnage du méchant parvenu fait toujours recette. Grâce à la série télévisée *Downton Abbey*, le grand public a appris à détester sir Richard Carlisle, le fiancé d'un jour de la très aristocratique lady Mary Crawley. Étranger (il est écossais), et récemment enrichi, il est manipulateur, arriviste et dépourvu de scrupules. Saisissant un clin d'œil anachronique, le téléspectateur comprend également qu'il a fait fortune dans la presse à scandales, ce qui n'est pas sans lui rappeler un magnat contemporain des médias, lui aussi étranger, richissime et coutumier de manœuvres jugées douteuses[1]...

La rumeur médiatique qui entoura le mariage du prince William avec Catherine Middleton est elle aussi révélatrice, quoique plus subtilement, de cette ancienne rancœur anglaise contre le parvenu. Certes, une partie non négligeable de la presse locale s'est empressée de célébrer ce conte de fées moderne. La petite Kate, d'origine ouvrière par sa mère, et petite-bourgeoise par son père, fille de la classe moyenne comme le suggère son patronyme (étymologiquement « au milieu de la ville », comme ancré dans une sorte de médiocrité sociale), a été sélectionnée entre des dizaines de prétendantes mieux nées par l'un des héritiers les plus prestigieux de l'époque contemporaine. D'aucuns y virent même un signe que la société britannique d'aujourd'hui était plus ouverte, et qu'en permettant cet acte de spectaculaire mobilité sociale, la famille royale se montrait enfin proche de la

1. On notera que dans une autre série TV contemporaine à succès, *Sherlock*, adaptation fort réussie de l'œuvre de Conan Doyle, l'un des adversaires les plus détestables du célèbre détective est aussi un magnat de la presse, rompu au chantage de grande envergure. Alors que l'inspiration de ce personnage était un certain Charles Augustus *Milverton* dans le texte original de Doyle, les réalisateurs de cette série ont choisi de le rebaptiser Charles Augustus *Magnussen*. Il semblerait ainsi qu'il aient voulu rendre ce personnage encore plus odieux en le dénaturalisant.

vraie société anglaise. Voire ! Cette merveilleuse épopée matrimoniale a dénoué les langues, autant les mauvaises que les bonnes, et réveillé le vieux ressentiment de classe. Certains ont vu dans Catherine et ses parents une famille de parvenus, trahissant la fière éthique de la *working class*, d'autres ont raillé l'arrivisme des deux sœurs. Ne furent-elles pas toutes les deux comparées à la glycine (*the wisteria sisters*), cette plante connue pour ses vertus décoratives, mais aussi pour sa capacité à s'accrocher et grimper aux murs ?

Ces préjugés, ces expressions de mépris et de rejet reflètent les contradictions d'une société à la fois ouverte sur le monde et insulaire, innovante et conservatrice, pragmatique mais toujours crispée sur certains vieux principes. L'éthique britannique tolère et défend l'enrichissement personnel, mais le trouve suspect et déplacé lorsqu'il est trop visible ou d'origine étrangère. Londres a connu une période comparable à la fin de l'époque victorienne et durant l'époque édouardienne, une époque bénie où la City s'était imposée comme la première place bancaire mondiale, « ligne de vie financière entre New York, Johannesburg, Francfort et Paris, qui contrôlait entre 1890 et 1914 près de la moitié des flux internationaux de capital[1] ». Le parallèle avec notre époque est tentant : c'est pendant cette

1. J. Mordaunt Crook, *The rise of the Nouveaux Riches*, Cambridge, John Murray, 1999.

période que Londres va voir l'essor d'une nouvelle génération de ploutocrates, dont certains sont issus de la révolution industrielle britannique, d'autres, souvent plus fortunés, provenant des dominions, d'Allemagne ou des États-Unis. Parmi ces nouveaux superriches, on comptait des dynasties juives d'Europe centrale (les Speyer, les Rothschild) ou d'Orient (les Sassoon), des aventuriers ayant fait fortune dans l'or ou les diamants sud-africains (les Cassel, les Beit, les Robinson), ou de très grandes fortunes américaines souhaitant une présence plus ou moins permanente en Angleterre pour s'y frotter à la bonne société (les Astor, les Morgan). Beaucoup venaient de l'industrie et du commerce, mais la majorité s'était enrichie dans la finance ou les matières premières. Cette nouvelle élite, comme la décrit J. Mordaunt Crook dans le livre qu'il lui a consacré, s'est peu à peu intégrée dans la haute société britannique traditionnelle, arrachant des titres de noblesse au gouvernement, s'alliant avec des rejetons de l'aristocratie, acquérant des domaines considérables à la campagne, et occupant à Londres des demeures patriciennes décorées certes sans grande innovation stylistique[1], mais avec beaucoup d'ostentation. La géographie résidentielle de ces nouveaux superriches

1. Le style des intérieurs résidentiels de ces grands nouveaux riches, comme celui de l'aristocratie, était en grande majorité français, avec une prédilection pour le mobilier du XVIIIe siècle.

entretient quelque similarité avec celle d'aujourd'hui. Mayfair en particulier, après avoir été le lieu de résidence privilégié de la noblesse depuis le XVIIIe siècle, est conquis par cette « ploutocratie cosmopolite[1] » à partir de la fin du XIXe siècle. Park Lane et Piccadilly, devenus depuis des autoroutes intra-urbaines bordées de grands hôtels sans charme, comptaient parmi les avenues les plus prisées du parvenu londonien de cette époque, qui y faisait construire des palais aussi somptueux qu'extravagants, dont il ne reste presque plus rien de nos jours, victimes de l'intense remodelage urbain et architectural qui a débuté durant l'entre-deux guerres. Moins élégant, mais tout aussi nouveau fortuné, Kensington Palace Gardens, surnommé à l'époque Millionaires Row[2], a été lotie à l'époque victorienne dans un style néoclassique ou néo-Renaissance, occupée d'abord par une nouvelle génération d'entrepreneurs britanniques enrichis dans l'industrie textile ou métallurgique, puis par une élite financière cosmopolite[3]. Ces Londoniens de haut vol, qui ont renouvelé la

1. J. Mordaunt Crook, *op. cit.*

2. Aujourd'hui, cette avenue où se situe notamment la résidence de l'ambassadeur de France et où vivent quelques nababs contemporains comme Lakshmi Mittal porte le sobriquet de *Billionaires Row*, preuve s'il en était besoin que la langue peut s'adapter elle-même aux effets de l'inflation.

3. Dont le baron Julius de Reuter, fondateur de l'agence de presse du même nom.

haute société britannique, ont suscité critiques, sarcasmes et jalousies dans l'opinion, parfois avec des relents d'antisémitisme qui n'ont rien à envier avec les dérives constatées en France à la même époque. L'Angleterre, qui a connu ces années-là son apogée économique, a profité immensément de la présence et de l'activité de ces individus, mais l'acceptait non sans quelque grincement de dents.

L'argent nouveau s'insère dans le modèle culturel anglais plus qu'il ne le remplace. Une illustration de ce phénomène s'observe dans le *club*, vieille institution britannique. Apparu au XVIIe siècle à Londres, il s'est imposé comme un lieu de sociabilité incontournable pour les classes supérieures. Antithèse et complément du *pub* (diminutif de *public house*), qui par définition est ouvert au public et propice à la mixité de classe, il est une cellule exclusive où quelques individus – traditionnellement mâles – d'un groupe social homogène se retrouvent dans un environnement privé et rassurant. Créé en 1693, le plus célèbre et le plus prestigieux était et est sans doute encore le White's, qui réunit une grande partie de l'aristocratie britannique. Imité au cours des XVIIIe-XIXe siècles par beaucoup d'autres, comme le Boodles, le Brooks ou le Turf, ces clubs sont depuis une dizaine d'années relayés par une myriade de nouveaux établissements, créés ou peuplés par des membres de l'*euro-trash* ou de la *Superclass* londonienne, rafraîchissant ainsi un modèle d'origine devenu poussiéreux. Alors que les *gentlemen's clubs* d'hier sont installés dans le fameux *Club Land*, situé dans un triangle compris entre St. James's Street et Pall Mall, les clubs de la dernière génération ont essaimé de l'autre côté de Piccadilly, à Mayfair, en pleine *Bling Belt.* L'Arts Club est un exemple intéressant de cette mutation. Fondé en 1863, il était conçu pour être un cercle de personnalités ayant pour principaux centres d'intérêts l'art et la littérature, et accueillait comme membres des figures aussi notables que Dickens, Millais, Whistler ou lord Leighton. Des décennies plus tard, en 2011, en perte de vitesse et de moyens, racheté et entièrement rénové, il prend un visage plus contemporain. La population y est relativement jeune, la tenue informelle, on y danse dans un sous-sol aménagé en boîte de nuit, on y boit des cocktails surfacturés, et l'on y contemple des tableaux d'art contemporain. Nous sommes bien loin de la vie des clubs d'antan, où le gentleman sirotait du porto en lisant le *Telegraph* ou en jouant au bridge, face à des vieux portraits d'officiers de la Navy ou des scènes de chasse à courre. Officiellement, le club, dont le comité de sélection est présidé par Gwyneth Paltrow, est toujours censé attirer des membres « créatifs », « intéressés par les arts, la littérature et la science », mais il accueille en réalité en son sein un échantillon assez représentatif de l'*euro-trash* londonien. L'intérêt pour l'art a été instrumentalisé comme positionnement marketing, les arts plastiques n'étant à l'honneur que sur le visage recomposé de certains des convives. On reste assez dubitatif sur la présence de la science ; quant à la littérature, elle consiste surtout en une comédie étonnante, improvisée en permanence dans la salle. On y trouve en effet tout ce que le cosmopolitisme privilégié de Londres peut compter, gérants de *hedge funds* américains, banquiers d'affaires européens, jeunes filles à papa oisives étudiant assidûment l'art ou la gemmologie, demi-mondaines, mannequins d'un soir, ou multimillionnaires orientaux s'étant brusquement découvert une âme de collectionneurs. Les chantres de la vieille Angleterre y verront sûrement un lieu avant tout destiné à une jet-set clinquante, où l'ancien esprit de club, un entre-soi discret et privé de gentilshommes, a cédé la place à une culture hédoniste et tapageuse. De manière plus neutre, on peut également y voir une illustration de ce renouvellement continu de la vie sociale des beaux quartiers, qui garde pour cadre des modèles établis, en l'occurrence la tradition très anglaise du club.

Faut-il déplorer l'étalage de cette fortune décomplexée qui s'expose fièrement dans la rue ? Sans doute, mais faisons surtout confiance à la capacité de résistance culturelle de l'Angleterre, qui sait opposer à l'invasion étrangère sa forte identité insulaire. Une société qui rejette l'argent neuf est une société essoufflée, crispée sur son passé, qui a peur de l'avenir et de l'étranger.

Évitant cet écueil, le pragmatisme britannique a su tirer profit du travail, de l'argent et de la vanité des autres, et de ce fait transformer Londres en une métropole incontournable, ainsi qu'en une gigantesque vitrine de son pays.

Le bout du tunnel

« Je ne connais aucun homme tant soit peu lettré désireux de quitter une ville comme Londres (...) lorsqu'un homme est fatigué de Londres, c'est qu'il est fatigué de la vie ; car on trouve à Londres tout ce que la vie peut offrir. »

Dr Samuel Johnson, cité dans James Boswell, *Vie de Samuel Johnson* (1791)[1]

« Londres est une mauvaise habitude qu'on détesterait perdre. »

Proverbe populaire anonyme

Londres, 9 janvier 2014. Il est 8 h 45, mon épouse et moi entrons dans une rame bondée du métro, sur la *Central Line*, artère vitale de l'économie londonienne qui relie l'ouest de la ville à la City, surchauffée et

1. Traduction de Gérard Joulié, Lausanne, L'Âge d'Homme, 2002.

surpeuplée aux heures de pointe. Nous y rencontrons une amie, française (naturellement), plongée dans une biographie de Marie-Antoinette, qu'elle lit pourtant en anglais. Nous commençons à engager une conversation (en français naturellement), mais devons élever la voix pour couvrir le bruit de fond et traverser la masse des corps silencieux et pensifs qui nous sépare.

Il devient rapidement évident que nous sommes les seuls à parler dans ce wagon et que nous nous donnons en spectacle, un spectacle sans sous-titres, inintelligible pour la majorité des passagers. Dans bien d'autres villes étrangères, nous prendrions plus de précautions. À Londres, métropole polyglotte, ce type de comportement passe peut-être plus facilement inaperçu, du moins n'embarrasse-t-il pas les Français que nous sommes.

J'éprouve une certaine gêne voire un début de honte à continuer cet échange de la sorte. Étranger dans cette ville, je me sens incité à la discrétion, et aimerais secrètement passer à l'anglais, ce qui serait cocasse, ou converser à mi-voix, ce qui rendrait notre conversation inaudible. Ce dialogue à trois, notre parole libre, rieuse et insolente, me donne l'impression mal assumée d'agir en *terrain conquis*, de planter un drapeau tricolore au cœur du *Tube,* au nez et à la barbe de nos hôtes. Quelque chose me dit que nous devrions restreindre l'usage de notre belle langue dans les confins d'un espace plus privé, par courtoisie, mais aussi dans un acte de reconnaissance implicite que nous ne sommes qu'invités dans un pays qui n'est pas le nôtre. Lorsque Guillaume et les siens sont arrivés au XIe siècle, ils ont certes imposé le français partout où ils le pouvaient, à la Cour, au sein de l'administration, dans le droit et la loi. Le contexte était certes différent, ils arrivaient en conquérants et l'imposition de leur langue était un instrument et une manifestation de leur domination.

Ne faudrait-il pas rendre notre présence imperceptible, pour démontrer aux autres que tous les Français ne sont pas ces mufles indiscrets et arrogants projetés par les idées reçues ?

J'ai déjà filé et refilé ce thème de l'immigré au cours de ce livre, mais il s'agit néanmoins d'une veine féconde, sur laquelle j'aimerais conclure mon petit ouvrage. Comme je l'ai déjà dit, le Français de Londres est avant tout un immigré du travail, qui a choisi de s'installer en Angleterre plus qu'il n'a décidé de quitter son pays. Ni colon ni exilé, il est, dans la majorité des cas, venu dans son pays d'accueil pour y trouver un emploi qui lui convenait, dans une ville par ailleurs séduisante pour son cosmopolitisme unique en Europe, et si facile d'accès.

Nous avons brossé l'histoire de cette immigration et de ses visages actuels. Peut-on maintenant lui imaginer un futur ? De quoi demain sera-t-il fait pour la communauté française en Grande-Bretagne ? Est-elle appelée à se développer, se ramifier, ou au contraire à s'effriter, se tarir, restant dans la mémoire de l'Angleterre comme un épiphénomène dans sa longue histoire démographique ? Livrons-nous à un petit exercice de société-fiction. J'entrevois au moins deux scénarios possibles, extrêmes et opposés, se dérouler dans les vingt prochaines années.

Dans un premier scénario, l'on peut prévoir un déclin relatif de Londres. Concurrencée par les grandes métropoles émergentes, Hong Kong, Shanghaï, Dubaï, São Paulo et Mumbai, elle demeure la ville la plus cosmopolite d'Europe, mais doit partager les dividendes de l'influence avec ces autres villes, dans un monde de plus en plus petit. La City, étranglée par la réglementation, offre des carrières moins nombreuses, moins lucratives, moins prestigieuses, et le jeune talent de France et d'Europe se redéploie ailleurs, dans une industrie réinventée ou dans les hautes technologies. Même si, grâce à un référendum organisé en 2017, la Grande-Bretagne a évité de justesse les complications d'une sortie unilatérale de l'Union européenne, ses gouvernements successifs se sont néanmoins évertués à obtenir de Bruxelles diverses concessions et exceptions, notamment en matière de circulation des personnes, détournant vers d'autres lieux des flux d'hommes et d'idées qui jusque-là s'étaient assez naturellement dirigés vers elle. Enfin, cédant à la pression d'un électorat frileux et fâché de voir ces *non-doms* créer de l'inflation sans investir sur la durée dans leur pays, la Grande-Bretagne supprime ce statut et décide également de taxer lourdement l'immobilier résidentiel de luxe.

Au sud de la Manche, la France a ôté sa chape de morosité, le déclinisme qui y sévit depuis dix ans y a laissé place à l'optimisme et au goût du risque, et Paris, aidé par une nouvelle génération d'édiles qui semble avoir pris la mesure des enjeux de la mondialisation, devient à nouveau une grande capitale internationale, qui accepte plus volontiers de parler anglais et de recevoir hommes et capitaux étrangers. Les flux migratoires de notre pays vers Londres se tassent, les séjours s'y font plus courts, et notre communauté s'y étiole lentement, au gré des retours, réduite à quelques petites dizaines de milliers d'âmes, peut-être moins encore. Nos infrastructures scolaires sont désormais en situation de surcapacité, et l'Eurostar, en difficulté financière, diminue le nombre de ses navettes et supprime le champagne en classe affaires.

Dans un second scénario, à l'autre extrémité des possibles, le rayonnement de Londres non seulement perdure, mais continue de s'étendre. Capitale économique de l'Europe, et correspondante prioritaire des grandes métropoles américaines et asiatiques, elle bénéficie directement d'une Afrique progressivement sortie de la pauvreté, d'un Moyen-Orient moins fracturé et d'une Russie qui accepte enfin de parler à l'Occident. Si le poids des États-Unis semble s'être relativement estompé, l'anglais reste prépondérant, *lingua franca* commode qui semble être moins directement associée à l'impérialisme américain. La City s'est réinventée en retrouvant sa vocation première, qui est de se mettre au service des entrepreneurs et des États pour qu'ils continuent à innover, produire et administrer, et absorbe goulûment les talents pour financer et conseiller un monde de plus en plus complexe. Que la France connaisse une nouvelle jeunesse, ou reste engluée dans un pessimisme perpétuel et la médiocrité macroéconomique a assez peu d'incidence sur le déroulement de ce scénario. Les Français ont commencé à affluer à Londres bien avant les problèmes actuels dont semble souffrir notre pays, et continueront à le faire, attirés par le dynamisme relatif de la capitale britannique.

Dans ce scénario, la communauté française croît à un rythme robuste, mais autant par accroissement naturel que par immigration. La progéniture des migrants des années quatre-vingt-dix et deux mille est rentrée dans la population active, beaucoup d'entre eux ont choisi de rester en Angleterre, ou, s'ils ont préféré le départ, ont rarement opté pour la France. Ceux qui, de plus en plus nombreux, ont été scolarisés dans le système britannique, et ont poursuivi leurs études dans le système universitaire anglo-saxon, sont devenus des objets culturels hybrides, et bien que munis d'un passeport français, parlent mal leur langue maternelle, ne retournant qu'occasionnellement dans leur pays d'origine. Puisant dans son inventaire de marronniers, la presse britannique titre régulièrement sur ce groupe hétérogène, dont les membres sont baptisés, des deux côtés du tunnel, de divers sobriquets, tels *French Brits*, *Thames frogs*, *Français de Londres*, *Tunnel People*, *Eurostrash*, *Franglish*, ou *Français de la diaspora*. Certains, encore minoritaires, ont acquis la nationalité britannique et ont choisi ce pays comme leur première patrie. L'un d'eux accède même en 2032 au rang de *MP*, mais c'est un cas plutôt exceptionnel. D'autres encore, parmi les plus favorisés, investissent leur fortune faite outre-Manche en France, y achètent de l'immobilier, et sont en règle générale assez mal vus par leur pays d'origine, considérés comme les colporteurs d'une culture viciée par le libéralisme.

Il est difficile de déterminer quelle prédiction prévaudra dans les faits, et je laisserai le lecteur se forger sa propre opinion. En attendant le verdict du temps, je tâcherai de continuer à couler ici des jours heureux, partagés entre les peines d'un travail acharné et les jouissances d'un exil doré, attelé à l'éducation de mes enfants.

Quant à la question de mon éventuel retour en France, elle n'a toujours pas été tranchée. Qu'est-ce qui m'attache après tout aujourd'hui au sol anglais, alors que je n'ai jamais éprouvé l'envie de demander un passeport britannique, et que je me suis toujours passé sans trop m'en plaindre de la compagnie de mes hôtes ? Est-ce le cosmopolitisme déjà longuement évoqué de la ville, mais qu'en fin de compte je n'ai que très partiellement embrassé ? Est-ce la vie fébrile dont cette métropole exulte, portée par un renouvellement incessant d'hommes et d'activités et la réinvention permanente de ses modes de sociabilité, qui projette une image de la capitale britannique tellement éloignée de celle que nos parents avaient, celle d'une ville grise et délabrée vivant dans la nostalgie impériale, mais qui aujourd'hui fait ressembler Paris à une ville de province ?

C'est sans doute tout cela à la fois, mais c'est peut-être aussi parce que cette ville, en dépit de toutes les contraintes qu'elle impose à ses habitants, m'a toujours fait respirer un petit air de liberté. Liberté de sortir des structures mentales, familiales et sociales de mon pays de naissance, ou de m'y réinsérer pleinement au gré de mes projets personnels et professionnels ; liberté d'éviter la société de mes compatriotes, ou de la retrouver au sein de la Petite France d'Angleterre ou au bout d'un court trajet en train ; ou encore liberté d'évoluer dans un environnement complètement anonyme, où rien de ce que je pourrais représenter en France n'a la moindre signification ici. C'est peut-être en définitive cette liberté, que d'aucuns jugeront à juste titre très précaire, qui a été le trait d'union en pointillé entre les Franco-Londoniens du XXIe siècle, immigrés dans une Europe sans frontières, et tous ceux, parfois illustres, mais dans tous les cas beaucoup plus courageux, qui immigrèrent ici au cours de l'histoire, jetés par l'exil sur les rives de la Tamise.

Remerciements

Un livre est toujours un ouvrage collectif, et celui-ci ne déroge pas la règle. J'aimerais tout particulièrement remercier Alice, mon épouse, et mes parents, qui m'ont encouragé dès le début à porter ce projet jusqu'au bout.

De nombreuses autres personnes m'ont aidé à la réalisation de cet ouvrage, par leurs idées ou leur lecture. J'aimerais mentionner, par ordre alphabétique, Lisa Bridgett, Thomas Drewry, Ulrik Garde Due, Iris Langlois-Meurinne, Catherine de Martigny, Armand Suchet, Benjamin Weyl et Charles de Yturbe.

Merci également à Francis Esménard et Maëlle Guillaud pour leur soutien, leurs conseils et leur franchise.

Table

Composition Nord Compo
Impression CPI Bussière en octobre 2014
Éditions Albin Michel
22, rue Huyghens, 75014 Paris
www.albin-michel.fr

ISBN : 978-2-226-31255-6
N° d'édition : 21275/01 – N° d'impression : 2012067
Dépôt légal : novembre 2014
Imprimé en France